WLADIMI

Militä

Buch

1967 ist ein schicksalsträchtiges Jahr für die Sowjetunion: Die Oktoberrevolution liegt genau fünfzig Jahre zurück, und man rüstet überall
im Land zu großen Feierlichkeiten, da erblickt ausgerechnet ein Junge
das Licht der Welt, der nichts unversucht lassen wird, um die ruhm-
reiche Republik in ihren Grundfesten zu erschüttern.

Denn schon von Kindesbeinen an steht der junge Wladimir mit den
herrschenden Verhältnissen auf Kriegsfuß; stets ist er zu allem bereit,
nur nicht dazu, sich anzupassen. Bereits in der Schule erfindet er als
»Offizieller Politinformator« die haarsträubendsten Tagesnachrichten,
und später bringt er als Praktikant beim Theater ganze Aufführungen
zu Fall. Doch das ist alles nichts gegen sein subversives Wirken beim Mi-
litär, bei dem der anarchische Taugenichts eines Tages landet. Hier wird
ihm nichtsahnend das Ehrenamt des »Stellvertretenden Vergnügungsorganisators« übertragen, und dass daraufhin alles drunter und drüber
geht, braucht niemanden zu verwundern. Verwunderlich ist allenfalls,
dass die Sowjetunion darüber nicht schon viel früher zerbrochen ist…

Autor

Wladimir Kaminer wurde 1967 in Moskau geboren und lebt seit 1990
mit seiner Frau und seinen beiden Kindern in Berlin. Kaminer veröf-
fentlicht regelmäßig Texte in verschiedenen deutschen Zeitungen und
Zeitschriften, hat eine wöchentliche Sendung namens »Wladimirs
Welt« beim SFB4 Radio MultiKulti, wo er jeden Samstag seine Noti-
zen eines Alltags-Kosmonauten zu Gehör bringt, und er organisiert
im Kaffee Burger Veranstaltungen wie seine weithin bekannte »Russendisko«. Mit der gleichnamigen Erzählsammlung avancierte Wladimir Kaminer über Nacht zu einem der beliebtesten und gefragtesten
Jungautoren in Deutschland.

Von Wladimir Kaminer bisher erschienen:

Russendisko. Erzählungen (54175)
Helden des Alltags. Erzählungen mit Fotos von
Helmut Höge (54183)
Die Reise nach Trulala (gebundene Ausgabe, 54242)
Frische Goldjungs. Hrsg. Von Wladimir Kaminer. Erzählungen von
Wladimir Kaminer, Falko Hennig, Jochen Schmidt u.v.a. (54162)

Wladimir
Kaminer

Militär-
musik

GOLDMANN

Umwelthinweis:
Alle bedruckten Materialien dieses Taschenbuches
sind chlorfrei und umweltschonend.

Taschenbuchausgabe Juni 2003
Copyright © 2001 by Wladimir Kaminer
Copyright © dieser Ausgabe 2003 by
Wilhelm Goldmann Verlag, München,
in der Verlagsgruppe Random House GmbH
Umschlaggestaltung: Design Team München
Umschlagfoto: Photonica
Druck: Elsnerdruck, Berlin
Titelnummer: 45570
AB · Herstellung: Sebastian Strohmaier
Made in Germany
ISBN 3-442-45570-7
www.goldmann-verlag.de

1 3 5 7 9 10 8 6 4 2

Militärmusik *Musik, in deren Takt marschiert werden kann; relativ schnell gehen, sich fortbewegen über einen längeren Zeitraum, Weg*

(Duden)

Inhaltsverzeichnis

Sozialistische Erziehung

1967 feierte unser Land ein wichtiges Jubiläum – fünfzig Jahre sind seit der Großen Oktoberrevolution vergangen. Für die real existierenden sozialistischen Kleinbürger gab es nicht viele Gründe, stolz auf ihr Land und die dort herrschende Ordnung zu sein. Sie hatten mit dieser Ordnung etliche Probleme: das Wurstproblem, das Zuckerproblem, das Butterproblem und unzählige andere, welche die Sowjetunion für sie unattraktiv machten. Für einen Romantiker sah die Realität dagegen sehr positiv aus. Denn im Ballett waren wir die Nummer eins. Keine Ballerina der Welt konnte so toll springen wie die unseren. Das größte Atomkraftwerk zu bauen war auch nur in der Sowjetunion möglich, und den ersten Mann ins Universum hatten wir auch geschickt.

Den ersten Hund, den ersten Mann, die erste Rakete. Diese hervorragenden Errungenschaften und beeindruckenden Ergebnisse hatten wir der Großen Oktoberrevolution zu verdanken. Darum ging es bei dem Jubiläum 1967. Alle Zeitungen, Fernsehsendungen, Radioprogramme, Betriebsversammlungen berichteten über diese Erfolge und die zukünftigen Perspektiven. Die Menschen hörten zu und waren im Großen und Ganzen der Großen Oktoberrevolution dankbar. Dankbar fürs Ballett und dankbar für Jurij Gagarin, dessen Buch »Der Blick von oben« planmäßig zum Jubiläumsfest erscheinen sollte. Ausschnitte aus Gagarins Werk wurden in der *Literaturnaja Gazeta* vorveröffentlicht. Dort erzählte der Kosmonaut, wie toll die Sowjetunion von oben aussieht: die blauen Flüsse, die mit Schnee bedeckten Berge und die grünen, saftigen Wälder. Gagarin hatte sich sogar einige kritische Bemerkungen erlaubt: »Viele Flüsse müssen noch überbrückt, die Steppen gepflügt und die kleinen Dörfer elektrifiziert werden. Wir haben noch viel zu tun.«

Zu diesem Zeitpunkt rasten zwei Hunde, Belka und Strelka, in ihrer Kapsel, die noch vor Gagarin in den Kosmos geschossen worden war, seit nunmehr sechs Jahren sinnlos um die Erde herum. Offiziell waren sie für tot erklärt worden. Es war nie vorgesehen, dass die Kapsel mit den Hunden jemals auf der Erde landete. In der Kosmonautensiedlung »Sternenstadt« in der Nähe von Moskau errichtete man ein kleines Museum, in dem einige Souvenirs von Belka und Strelka, deren Namen auf Deutsch so viel wie »Eichhörnchen« und »Pfeilchen« bedeuten, präsentiert wurden.

Alle Pioniere, die für ihre Schulleistungen mit einem Ausflug in die Sternenstadt ausgezeichnet wurden, konnten dort das Halsband von Eichhörnchen und den Maulkorb von Pfeilchen besichtigen, dazu ein Foto von den beiden. Die Hunde führten ein bescheidenes Leben und besaßen nicht viel. Die meisten Pioniere interessierten sich nicht besonders für das Museum, eher für den Lebensmittelladen der Kosmonautensiedlung, in dem es damals schon ganz ungewöhnliche Sachen zu kaufen gab, wie zum Beispiel lange Zigaretten der Marke *More*. Laut den Informationen der Kosmonauten, unter anderem Gagarins selbst, waren die Helden Belka und Strelka immer noch am Leben. Man erzählte sich, dass Gagarin in privatem Gespräch zugegeben habe, einmal durch das Bullauge seiner Rakete die Hundekapsel gesehen und lautes Bellen im Universum gehört zu haben. Das Ganze dauerte nur einige Sekunden, die Kapsel raste schnell an Gagarin vorbei, das Bellen löste sich im Nichts auf.

1967 wurde die Hundekapsel endgültig zerstört,

um weitere »Missverständnisse« zu vermeiden. Ohne einen sichtbaren Grund fing Gagarin gleichzeitig an zu saufen. Er konnte sich nicht mehr auf sein Buch »Der Blick von oben« konzentrieren, das eigentlich schon längst hätte fertig sein sollen. Er erzählte seinen Kosmonauten-Kollegen, dass das Universum ein schwarzes Loch sei, die Erde einem verfaulten Kürbis ähnlich sehe und die Sowjetunion aus der Ferne überhaupt nicht zu erkennen sei. Sein Werk blieb für immer unvollendet. Gagarin wurde vom Dienst suspendiert und drehte frustriert sinnlose Runden mit seinem kleinen Flugzeug, das ihm Chrustschow geschenkt hatte. Er flog durch die Wolken und suchte den Tod, bis er 1968 endlich abstürzte. Man hat später ein Tal auf dem Mond nach ihm benannt, das sich allerdings auf der Schattenseite des Planeten befindet und von der Erde aus nie zu sehen ist. Außerdem wurde eine Kleinstadt ihm zu Ehren umbenannt. Es war aber nur eine ganz kleine, ohne Eisenbahnverbindung und ohne Flughafen – ein Dorf genau genommen. Kurz vor seinem Absturz wurde ich geboren.

Mein Vater nahm ein Taxi, um meine Mutter und mich aus dem Grauermann-Krankenhaus abzuholen. Das Krankenhaus befand sich auf dem Kalinin-Prospekt im Zentrum der Hauptstadt, dort wo jetzt eine große Apotheke, eine Sparkasse und ein Schönheitssalon sind.

»Biegen Sie hier rechts ab«, sagte mein Vater, um dem Fahrer den Weg zu weisen, als das Auto den Kalinin-Prospekt erreichte.

»Das kann ich nicht«, antwortete der Fahrer, »alles ist abgesperrt, wegen des Jubiläums. Man darf hier nirgendwo abbiegen, wir müssen geradeaus fahren.«

»Ich muss meinen neugeborenen Sohn aus dem Grauermann-Krankenhaus abholen«, erklärte mein Vater.

»An so einem großen Tag? Herzliche Glückwünsche, Sie sollten ihn Oktobrin nennen oder ähnlich. Trotzdem kann ich hier nicht rechts abbiegen«, sagte der Taxifahrer.

»Na, dann.« Mein Vater holte seine Geldbörse aus der Hosentasche und gab ihm 25 Rubel. Das Auto machte sofort einen großen Bogen mitten auf dem Prospekt und fuhr direkt auf den Bürgersteig vor dem Krankenhaus.

»Ihr seid aber freche Kerle«, wunderte sich ein dicker Straßenpolizist, der gerade daneben stand. Er bekam von meinem Vater ebenfalls 25 Rubel. Genau dieselbe Summe steckte er dann auch dem Wächter des Krankenhauses zu, damit er reindurfte, ebenso der Krankenschwester, die mich herausbrachte, und der Tante aus der Registraturabteilung, damit sie mich schnell eintrug. Mein Vater gab auf diese Weise exakt einen ganzen Monatslohn im Krankenhaus aus. Dafür hatte er nun mich. Mit demselben Taxi brachte er dann meine Mutter und mich nach Hause zurück. Überall standen Polizisten, an jeder Ecke hingen große, rote Fahnen.

Ich konnte sie damals natürlich noch gar nicht sehen. Ich war noch ein Baby und lag auf dem Rücksitz eines alten Wolgas, in eine weiße warme Decke bis über den Kopf eingewickelt.

***

Meine Mutter sagte, ich war ein sehr ruhiges Kind, lächelte gern Fremden zu, schrie so gut wie gar nicht und pinkelte in die Windeln nur auf ihren Befehl. Ich glaube meiner Mutter, weil sie dreißig Jahre lang an der Schule unterrichtet und immer die Wahrheit gesagt hat. Laut meiner Mutter fing ich sehr früh an zu sprechen.

In der Nähe unseres Hauses stand ein kleiner Wald, in dem wir oft spazieren gingen. Auf der anderen Seite des Waldes befand sich ein Irrenhaus, das alle nur »das gelbe Haus« nannten, wegen der Farbe der Fassade. Die Irren kletterten oft über den Zaun und irrten im Wald herum. Ich konnte noch nicht richtig laufen und saß voller Stolz auf einem roten Plastikpanzer, den meine Mutter an einem Strick hinter sich herzog. Plötzlich sprang ein Irrer aus einem Busch. Es war ein Exhibitionist. In der Hand hielt er seinen riesigen Schwanz, groß wie eine Panzerkanone. Er starrte uns an und wir ihn. Meine Mutter war sprachlos vor Angst und fuchtelte nur mit den Händen. Ich schrie auf einmal: »Hau ab!« Der Mann verschwand sofort wieder hinter dem Busch, und wir rannten nach Hause. Damals, als kleines Kind, wusste ich noch nicht, dass Exhibitionisten genau so harmlos wie Ameisen sind. Nun weiß ich es. Doch vor zweiunddreißig Jahren war es ein Schock für mich, ein psychisches Trauma. Aufgrund dieses Vorfalls fing ich an zu sprechen und kann bis heute nicht damit aufhören.

Schon im Kindergarten entdeckte ich diese Leidenschaft fürs Geschichtenerzählen. Während der Ruhestunden, wenn die Erzieherin sich in die Küche zurückzog, um den von uns übrig gelassenen Brei aufzuessen, erzählte ich meinen Kindergarten-Genossen alle möglichen Geschichten. Ich konnte ihre Fragen viel umfassender beantworten als die dafür zuständigen Verantwortlichen. Über alles wusste ich Bescheid: über Flüge zum Mars, wo Gold vergraben

sein musste, und wie sich die Menschen fortpflanz-
ten. Ich konnte alles bis in die kleinsten Einzelheiten
erklären, nur ein Haken war dabei: Meine Geschichten stimmten nicht. Ich war nämlich ein totaler
Spinner. Die Folgen mancher meiner Geschichten
waren haarsträubend. Als ein paar Kumpel aus meiner Kindergartengruppe meine Version der menschlichen Fortpflanzung in die Realität umzusetzen versuchten, kam es beinahe zu schlimmen Körperverletzungen. Meine Mutter musste sich ständig die Be-
schwerden des Personals anhören, ich würde die anderen Kindern verderben. Aber sie lachte nur.

Später in der Schule entwickelte sich meine erzäh-
lerische Leidenschaft weiter. Ob Chemie oder Geschichte, Geographie oder Biologie, ich trat gern an
der Schultafel auf, doch meine Formeln entpuppten
sich als Fiktionen, die Stoffe existierten meist nicht,
und alle Daten waren durcheinander gebracht.
Trotzdem wurde ich von der Klassenleiterin zum
Politinformator ernannt. Jede Woche musste ich nun
aus allen möglichen Zeitungen die wichtigsten
Nachrichten ausschneiden und sie meinen Klassenkameraden referieren. Ich experimentierte. Ich
nahm alte Zeitungen und stellte ein Nachrichtenprogramm zusammen, das aktueller und spannender
als das wirkliche war. Keiner merkte was. Meine Po-

litvorträge wurden von den Klassenkameraden mit großer Begeisterung aufgenommen. Ungefähr zu diesem Zeitpunkt wurde mir klar, wie dünn manchmal die Grenze zwischen Realität und Fiktion ist. Die Zeitungen wurden immer älter, die Politinformationen immer spannender. Am Ende verzichtete ich gänzlich auf die Zeitungen und stellte das Nachrichtenprogramm aus freien Erfindungen zusammen.

Ich war von dieser Arbeit so hingerissen, dass ich nicht richtig aufpasste. Nachdem laut nur mir vorliegenden Informationen Simbabwe Russland den Krieg erklärt hatte, flog die ganze Sache auf, und mir wurde daraufhin der Eintritt in den Komsomol verweigert.

In der siebten Klasse beschloss ich, mit dem Rauchen anzufangen. Ich klaute mir eine Schachtel *Java* aus dem Schreibtisch meines Vaters und ging mit einem Freund in den Wald. Als wir am »gelben Haus« vorbeikamen, hielten uns zwei kleine Mongoloide an, die draußen vor dem Tor standen. Sie baten uns um eine Zigarette. Mein Freund holte die Schachtel aus der Tasche und fragte ganz naiv: »Ist euch eigentlich das Rauchen erlaubt?« Einer der Mongoloiden steckte die Zigarette in den Mund,

17

blickte mir tief in die Augen und sagte mit überraschend tiefer Stimme: »Uns ist alles erlaubt.« Ich machte mir vor Angst fast in die Hose, so wahr klang er. Damals merkte ich, wie ungerecht unsere Gesellschaft war: Was den einen erlaubt war, durften die anderen noch lange nicht.

Ich erzählte und erzählte. Der eine war begeistert, den anderen machten meine Geschichten wütend, immerhin – alle hörten aufmerksam zu. Ich wurde zum größten Spinner der Schule. Gleichzeitig entwickelte ich eine weitere Besonderheit: die absolute Unfähigkeit, etwas Solides zu lernen. Alle Informationen, die ich mitbekam, drehte ich unwillkürlich um und machte daraus immer neue Geschichten. In Literatur hatte ich stets die besten Noten, obwohl mich die so genannte »Literatur« als Fach gar nicht interessierte.

Beim Schulaufsatz hatten wir normalerweise drei Themen zur Auswahl. Zwei literarische, in der Art von »Pechorin als überflüssiger Mensch«, und eine politische: »Der Komsomol als zuverlässiger Helfer der Kommunistischen Partei« beispielsweise. Diese Ordnung existierte seit Dutzenden von Jahren. Das musste so sein, und alle wussten es. Im Traum wäre es niemandem eingefallen, ein politisches Thema zu wählen. Außer mir. Genau genommen habe ich nur diese Themen bearbeitet. Dafür hasste mich natürlich die Literaturlehrerin, eine Nette, wenn ich mich jetzt so recht an sie erinnere. Sie empfand mein Handeln als persönliche Beleidigung, doch für mich war es viel interessanter, über nicht-existierende Dinge zu schreiben als über das bereits durchgekaute und unveränderbare Material der klassischen russischen Literatur. Ich versuchte die leeren Begriffe wie »Partei«, »Komsomol« oder »Frühling« mit ein bisschen Leben zu füllen, das machte mir Spaß. Meine Schulkameraden dachten, ich sei antisowjetisch und lachten herzlich über meine Komsomol-Besinnungsaufsätze, dabei war ich total unpolitisch und der Einzige in der Klasse, der nicht zum Komsomol gehörte. Die Literaturlehrerin sagte zu mir: »Sie bekommen eine Fünf (die beste Note bei uns) für ihren Aufsatz ›Die Befreiung Europas durch die Rote Armee 1944–45‹. Aber damit das klar ist: Ich glaube Ihnen kein Wort. Sie finden es komisch, anders zu schreiben, als Sie denken, Sie junger Zyniker!«

Ich war aber eher ein Romantiker. In der achten Klasse bekam ich bei einem Wettbewerb »Schüler lesen Majakowski« den ersten Preis. Ich trat bei diesem Wettbewerb mit einem selbst geschriebenen Gedicht auf, das ich als einen frühen Majakowski ausgegeben hatte, und zwar aus seiner Gesamtausgabe, die es so richtig jedoch nicht gab. Der Direktor schickte mich anschließend sogar zur Stadtolympiade. Dort in der Jury saßen keine Anfänger, sondern lauter große Spezialisten. Ich brüllte und zischte auf der Bühne, genauso wie Majakowski es in meiner Vorstellung getan haben musste, ja, sogar noch besser als er. Ich schlug mir mit der Faust auf die Brust und fand mich ziemlich überzeugend. Trotzdem haben sie mich entlarvt. Ein alter Professor sagte laut: »Nun seien Sie nicht albern, junger Freund. So eine Scheiße hätte Majakowski nie in seinem Leben geschrieben.«

Wenn ich jetzt, nach über zwanzig Jahren, zurückblicke, muss ich dem Professor Recht geben. Es war ein pathetisch überzogenes, scheußliches Gedicht. Aber ich bin nun mal kein Dichter. Doch damals war es für mich ziemlich dramatisch. Und unser Schuldirektor bekam einen Riesenanschiss. Er war stinksauer, dass seine Dummheit zum Vorschein gekommen war, und weigerte sich, mich in die neunte Klasse zu versetzen. Ich flog von der Schule.

»Was willst du eigentlich werden?«, fragten mich daraufhin meine Eltern.

»Schauspieler«, sagte ich jedes Mal.

Mit dieser Antwort gelang es mir, vorläufig weitere Diskussionen über meine Zukunftspläne zu vermeiden.

Unser Haus befand sich am Rande der Stadt. Aus dem Fenster blickte man auf die Rublewskojer Chaussee, die eigentliche Stadtgrenze. Dahinter begann schon der Wald, der dort Pawlow-Park hieß, zu Ehren des Verhaltensforschers Pawlow, nach dem man im Übrigen auch unsere Straße benannt hatte. Dort im Park stand ein merkwürdiges Denkmal, das in der Dunkelheit alte Frauen und Säufer erschreckte: ein riesengroßer Hund aus Bronze, im Volksmund »Baskerville« genannt. Der mir unbekannte Bildhauer hatte ihn zu Ehren des pawlowschen Hundes geschaffen, der ungeheuerliche Leiden am eigenen Leib hatte erdulden müssen, um die Reflextheorie des Akademikers zu bestätigen. Doch mit seiner Größe und dem Gesichtsausdruck hatte der Bildhauer eindeutig übertrieben.

Auf dem Platz vor dem Denkmal versammelten sich die Jugendlichen unseres Wohnviertels, um Tischtennis zu spielen. »Wir treffen uns am Hund«, hieß es immer. Anschließend liefen wir meistens runter zum Moskausee. Dort hatten wir sogar einen kleinen geheimen Strand. Auf der anderen Seite des Sees wohnte niemand. Es gab dort nur Kartoffelfelder bis zum Horizont sowie eine verlassene, aber immer noch stark nach Scheiße riechende Geflügelfarm und eine im Krieg zerbombte Kirche. Die Omas in unserem Haus erzählten, ein Flugzeug sei auf die Kirche gestürzt und dadurch wären die ganzen dort gelagerten Kartoffelvorräte verbrannt.

In jenem Sommer wurde ich fünfzehn. Ich hatte nichts zu tun und hing den ganzen Tag im Pawlow-Park herum oder saß am Ufer des Moskausees. Doch die Frage, die mir meine Eltern immer wieder mal stellten, betrübte mich. In Wahrheit wollte ich gar kein Schauspieler werden. Ich wollte mich verlieben und ewig am Strand liegen.

Jedes Mal, wenn ich an dem gelben Irrenhaus vorbeilief, betrachtete ich neidisch die Mongoloiden. Mir schien, dass ich ihr Geheimnis durchschaut hatte. Sie werden niemals gefragt: »Was willst du denn mal werden, Junge?« Sie waren nämlich schon was – und mussten dafür überhaupt nichts tun. Dort hinter dem Zaun, auf ihren von Pflegern bewachten Veranden, waren sie freier als wir draußen. Sie mussten nicht, wie ich zum Beispiel, lügen und allen erzählen, sie wären gerne Schauspieler. Mehrmals verwickelte ich die Mongoloiden in Gespräche, wenn sie abends in der Dämmerung vor dem Tor ihrer Anstalt standen und Vorbeigehende anmachten. Mit

Erstaunen stellte ich fest, dass sie gar nicht dumm waren, im Gegenteil, und dass sie sich ihrer Freiheit vollkommen bewusst waren. Sie kultivierten sogar noch ihre Krankheit, um dadurch ihre Freiheit zu schützen. Gegen bestimmte Dinge hatten sie eine starke Abneigung, wie beispielsweise gegen das Schreiben. Dafür durften sie aber alles laut sagen, was sie dachten. Ich mochte mir gar nicht vorstellen, wie meine Eltern reagieren würden, wenn ich das nächste Mal auf ihre Frage nicht »Schauspieler«, sondern »Mongoloider« antwortete.

Mein Vater, der sich mit zwanzig Jahren unglaublich anstrengen musste, um aus seinem kleinen ukrainischen Nest nach Moskau zu kommen, konnte nicht verstehen, wie ein Junge in meinem Alter keine großen Ziele haben konnte und keine Herausforderungen suchte. Er selbst ging gleich nach der Schule in eine Konservenfabrik, der einzigen Fabrik in der Kleinstadt. Er sortierte dort zwei Jahre lang Konservendosen für Tomaten – ohne Aussichten auf ein Weiterkommen. Die einzige Chance für meinen Vater, aus seinem Leben etwas Besseres zu machen, war, in die Hauptstadt zu ziehen und einen richtigen Beruf zu erlernen. Er wollte nach Moskau, um zu studieren, doch damals durfte ein junger Arbeiter in der Provinz noch nicht selbstständig über sein eigenes Schicksal entscheiden. Der Direktor des Tomatenverarbeitungsbetriebes musste ihm eine Zuweisung für die Akademie schreiben, wollte aber nicht so richtig. Er sagte stattdessen zu meinem Vater:

»Viktor, ich würde deinen Wunsch gerne erfüllen und dich nach Moskau schicken, wenn du zuerst mir meinen Wunsch erfüllst. Seit Jahren träume ich von einem Volkstheater in unserem Klub. Die Trunksucht bei unseren Mitarbeitern hat in der letzten Zeit enorm zugenommen und wurde zu einem großen Problem. Die Konservenproduktion sinkt. Das liegt meiner Meinung nach daran, dass die Arbeiter in unserem Städtchen so gut wie keine Freizeitangebote haben. Sie können nicht in die Oper, haben keine Ahnung vom Ballett. Also sitzen sie im Park und saufen sich zu Tode. Wir müssen mehr Kultur unter die Leute bringen. Du bist jung und schlau, organisier mir hier ein Kulturensemble, ein Laientheater, und ich werde dich dafür nach Moskau auf die Akademie schicken.«

Mein Vater ging mit voller Kraft an die Arbeit und schaffte innerhalb eines halben Jahres das Unmögliche: Er gründete das Fabrikkabarett »Die Rote Tomate«, das aus ihm selbst und noch zwei Frauen – einer Bibliothekarin und einer Köchin – bestand. Er selbst schrieb die Sketche, las eigene Gedichte vor, moderierte Volksfeste, außerdem sang und tanzte er auf der Bühne wie ein Wilder. Jeden Monat machte er ein lustiges Programm über aktuelle Probleme in der Tomatendosenproduktion.

»Dieser Kaminer«, wunderten sich die Arbeiter in der Fabrik, »das ist ein Spaßvogel, der singt sich noch kaputt.«

Dabei war mein Vater damals alles andere als ein Spaßvogel, er litt unter Schlafstörungen und nahm immer mehr ab. Der Grund dafür war der Direktor, der sein Wort nicht hielt. Zum zwanzigsten Jubiläum der Fabrik veranstaltete mein Vater ein Kabarett zur Krönung seiner beinahe zweijährigen Tätigkeit als »Rote Tomate«-Clown. Das Jubiläumsprogramm wurde ein großer Erfolg. Danach redete mein Vater mit dem Direktor.

»Ach Viktor, mein Herz«, gestand ihm der Direktor offen, »ich würde dir gerne sofort alle Papiere für die Plechanow-Wirtschaftsakademie in die Hand drücken, doch wenn du wegfährst, geht unser wunderbares Theater hier zugrunde. Kurzum: Du musst noch ein paar Jahre bleiben.«

Das war für meinen Vater ein schwerer Schlag. Das Studium an der Plechanow-Akademie entwickelte sich bei ihm zu einer fixen Idee. Sie veränderte ihn auch äußerlich: Mit fünfundzwanzig wurden seine Haare grau. Trotzdem sang und tanzte er auf der Bühne des Klubs immer weiter. Bald bemerkte sogar der Direktor, dass es mit dem Jungen so nicht weitergehen konnte, und er ließ ihn frei. Sieben Jahre lang studierte mein Vater danach Betriebswirtschaft an der Plechanow-Akademie in Moskau – er konnte nicht genug davon kriegen. Mit seinem »roten Diplom«, also mit lauter Bestnoten, bekam er dann gleich eine gute Stelle als Ingenieur in der Planabteilung eines kleinen Betriebs der Binnenschifffahrt. Mit Schwindel erregender Schnelligkeit stieg er dort zum stellvertretenden Leiter der Abteilung Planwesen auf – eine seltene Kariere für einen parteilosen Jungspezialisten jüdischer Abstammung.

Er heiratete meine Mutter, ich kam auf die Welt. Meine Familie tauschte ihre miserable Einzimmerwohnung im Untergeschoss gegen eine größere Zweizimmerwohnung in einem besseren Moskauer Viertel. Mein Vater kaufte einen Farbfernseher der Marke *Raduga* und eine Matratze mit Seegrasfüllung »Die Stille des Meeres«, ein Prachtstück der sowjetischen Möbelindustrie. Alles lief phantastisch. Doch die psychische Überreizung, die durch seine jahrelange Tätigkeit als Kabarettist wider Willen im Klub der Konservenfabrik entstanden war, ging nicht weg und brachte ihn dazu, sein künstlerisches

Tun immer weiterzutreiben. Seine Kollegen fuhren in ihrer Freizeit zum Angeln oder gingen in die Sauna. Mein Vater saß an jedem Wochenende an meinem Schreibtisch und verfasste Liebesgedichte mit obszönem Inhalt. Abends in der Küche las er uns seine Werke vor:

Ihre Lippen und Ihre Augen
Sind wie Kirschen aus Moldawien;
Wenn Sie mir vielleicht erlauben,
Diese Früchte – zu kauen…

Meine Mutter und ich – wir metzelten seine Gedichte nieder, wir lachten ihn aus und appellierten an seine Vernunft, damit aufzuhören. Er solle Schluss machen, riet ihm meine Mutter immer wieder, seine Gedichte seien Ohrwürmer und geistschädigend. Unsere vernichtende Kritik machte meinem Vater nichts aus. Im Gegenteil, er gelangte zu der Überzeugung, dass erst die kommenden Generationen seine unerhörte Begabung wirklich schätzen würden. Doch wie konnten die kommenden Generationen von meinem Vater erfahren? Nur durch Öffentlichkeit. Dazu benutzte er seine Autorität als stellvertretender Leiter der Abteilung Planwesen – und veröffentlichte seine Liebesgedichte auf den

Kulturseiten der Fachzeitung *Die Stimme der Süß-wasserflotte* unter dem Künstlernamen »Der See-wolf«. Außerdem schickte er die Werke an sein Vor-bild, den berühmten sowjetischen Dichter Jewgeni Jewtuschenko. Dazu schrieb er ihm lange Briefe:

»Als Privatmensch bin ich eigentlich ganz glück-lich, doch als Dichter fühle ich mich oft von meiner Umgebung missverstanden. Was meinen Sie, Herr Jewtuschenko? Soll ich vielleicht alle zum Teufel schicken und einfach nach Sibirien fahren? Am Auf-bau des Bratsker Kraftwerks mitwirken? Meine Ho-rizonte werden hier immer enger. Mich lockt das weite Land. Antworten Sie mir bitte.«

Der Dichter Jewtuschenko antwortete ihm jedoch nie.

Immer am Wochenende, wenn es mit dem Dichten nicht richtig klappte, widmete sich mein Vater mei-ner Erziehung. Er war der Meinung, ich sei so gleichgültig und faul, weil ich noch nichts von der Welt gesehen hatte, nichts Abenteuerliches. Im Som-mer 1979 schickte mich mein Vater daher in das Fe-rienlager »Der junge Seemann«, das seinem Betrieb gehörte. Das Ganze glich einem Pionierlager, nur dass sich dort auch ältere Jugendliche zwischen sechzehn und achtzehn herumtrieben: Die Binnen-

flotte kümmerte sich um ihre nächste Arbeitergene-
ration. Das Camp »Der junge Seemann« befand sich
etwa dreißig Kilometer von Moskau entfernt mitten
in einem alten Fichtenwald, und es gab weit und
breit keinen See in der Gegend.

Gleich am Eingang bekamen wir kleine, rote Fahnen, zwei Stück pro Nase. Damit sollten wir das
Morsealphabet lernen. Das Lager bestand aus drei
Wohnblöcken und einem großen Lehrraum mit See-
karten an den Wänden und Schiffsmodellen in den
Ecken. Außerdem gab es noch eine Sommerkantine,
die nur aus einem Dach bestand. Im »Jungen Seemann« gab es keine Frauen, nur Männer. Dafür
wohnten gleich nebenan viele hübsche Mädchen im
Pionierlager »Das Goldwölkchen«, wo sich die Kinder der Mitarbeiter der Moskauer Zigarettenfabrik
»Dukat« erholten.

Die Jungen Seemänner kletterten nachts über den
Zaun und suchten auf dem Goldwölkchen-Gelände
nach weiblichen Bekanntschaften. Mit Feuerzeugen
bewaffnet drückten sie ihre Nasen an den Fenstern
der Schlafbaracke platt. Die Mädchen erschreck-
ten sich zwar, fanden aber diese Besuche lustig. Die
Jungs im Goldwölkchen-Lager fanden das Ganze jedoch überhaupt nicht lustig. Sie jagten die Seemänner durch den Wald, stellten Fallen und zündeten so-

gar einmal unsere Sommerkantine an. Die Unseren
hatten aber nichts zu verlieren und gingen trotzdem
jede Nacht auf das feindliche Territorium. Bis die
Direktoren der beiden Lager sich zusammensetzten
und eine Lösung fanden: eine gemeinsame Tanzver-
anstaltung jeden Donnerstag und Samstag. Damit
war dann der Krieg auch wirklich zu Ende.

Die ersten vier Wochen im Lager fühlte ich mich
wie Tarzan in der grünen Hölle. Die Konversation
mit unserem Direktor und den drei Lehrern erfolgte
zum größten Teil per Morsealphabet. Viele alltägli-
che Maßnahmen wie der Aufruf zum Essen in der
Kantine oder zum Unterricht erfolgten nur durch
Fahnenschwingen. Jeden Tag schwenkten wir drei
Stunden lang unsere Fahnen und lernten das Morsealphabet. Und überall im Lager sah man die Mor-
sezeichen: an den Wänden, auf Plakaten, draußen im
Hof, im Schlafraum. Dazu noch jede Menge See-
schiffe verschiedener Baujahre. Nach zwei Wochen
bekamen wir kleine Morsegeräte und konnten damit
nun überall knistern.

Der Tag im Lager begann schon um sechs. Mit
Morgengymnastik auf dem Hof und Grießbrei zum
Frühstück in der Sommerkantine. Um Punkt sieben
Uhr saßen wir in einem großen Lehrraum. Wir bau-
ten kleine Schiffe zusammen und anschließend wie-

der auseinander, lernten, wie Navigationsgeräte funktionieren, und knisterten einander Botschaften im Morsealphabet zu. Danach spielten wir drei Stunden lang Fußball auf dem Feld hinter dem Lager zusammen mit den Jungs aus »Goldwölkchen«, die uns ständig hänselten: »Matrose, Matrose, schenk mir Papirosse«.

Im Goldwölkchen-Ferienlager gab es keine Unterrichtsstunden, dafür hatten die Jungs einen Fernseher im Aufenthaltsraum und konnten sogar problemlos auf dem Gelände rauchen. Wir mussten dagegen zum Rauchen immer aufs Dach hochklettern. Eine äußerst komplizierte, fast lebensgefährliche und dazu völlig sinnlose Angelegenheit. Ebenso gut hätten wir uns auf dem Klo oder im Wald zum Rauchen verschanzen können. Aber wir wollten die Tradition des Lagers nicht brechen. Seit Generationen waren hier die Jungen Seemänner immer aufs Dach geklettert, um eine durchzuziehen.

Trotz Fußball und Unterricht verliefen unsere Tage ziemlich langweilig. Viele Jungs versteckten sich tagsüber im Schlafraum und schliefen, bis die Sonne untergegangen war. Erst nach dem abendlichen Rückzugsignal wachte das Lager richtig auf. Die Jungen Seemänner kletterten aus den Fenstern und liefen in den Wald. Die Goldwölkchen-Mädchen warteten schon in geheimen Verstecken und gaben den Jungs Morsesignale, die sie von uns schnell gelernt hatten. Wir hatten entdeckt, dass das Morsealphabet nicht nur am Meer, sondern auch im dunklen Wald gut funktionierte, die Signale wiesen uns den richtigen Weg, um die Mädchen zu finden. Bis zum Morgengrauen saßen wir manchmal mit ihnen an einem Lagerfeuer im Wald und erzählten uns Geschichten.

Der Leiter unseres Lagers, Genosse Prostov, den wir einfach »Käpten« nannten, war ein pensionierter Taucher und sehr, sehr stolz auf seine Achtliterlungen. Er hatte ein Volumen-Messgerät in seinem Kabinett, mit dem er täglich seine Lungenkapazität kontrollierte. Manchmal demonstrierte er sie uns, indem er tief Luft holte und dann mit einmal Ausatmen einen Luftballon zum Platzen brachte. Der »Käpten« betrachtete seinen Job im Ferienlager als eine Art wohl verdiente Erholung auf Lebenszeit. So reduzierte er seine Anwesenheit im Lager auf das Notwendigste und belästigte uns kaum mit zusätzlichen erzieherischen Maßnahmen. Es war ihm auch völlig egal, ob wir später wirklich zur Binnenflotte gehen wollten oder uns für einen anderen Beruf entschieden hatten. Seine kurzen Ansprachen in den Morgenstunden bestanden hauptsächlich aus »Passt auf euch auf!« und »Macht's gut!«.

In den zwei Monaten, die ich in dem Lager »Junger Seemann« verbrachte, erweiterte sich mein geistiger Horizont erheblich. Und an aufregenden Erlebnissen fehlte es mir auch nicht. Dreimal fiel ich vom Dach runter, einmal verbrannte ich mir die Hand, als wir mit einem geklauten Kanister Benzin versucht hatten, schnell ein Feuer zu entfachen. Außerdem wurde ich mehrmals geschlagen und geküsst. Und ich habe damals zum ersten Mal etwas gelernt, was ich seitdem nicht mehr vergessen kann: Von Chemie und Physik, Mathematik und Geschichte, Majakowski und Englisch ist nichts übrig geblieben, aber das Morsealphabet und die Gedichte meines Vaters sind mir wie ins Gedächtnis eingebrannt.

»Wenn du willst, kann ich dich beim Institut der Binnenflotte anmelden, der Vorsitzende der Aufnahmekommission ist ein Kumpel von mir«, meinte mein Vater, als ich vom Ferienlager im Wald zurück nach Hause kam. »Deine dafür fehlenden zwei Schuljahre könnte man locker auch über die Abendschule abwickeln.«

»Lieber doch Schauspielschule«, antwortete ich herzlos.

Ich hing noch ein halbes Jahr zu Hause rum, bis meine Eltern von mir die Nase voll hatten und mein Schicksal in ihre eigenen Hände nahmen. Dabei kam ihnen der Zufall zu Hilfe, und das kam so: Außer Gedichteschreiben hatte mein Vater noch ein weiteres Hobby, nämlich Telefongespräche mit Unbekannten. Während seiner Arbeitszeit wählte er irgendeine Nummer, und wenn eine Frau den Hörer abnahm, begann er das Gespräch mit dem Satz: »Sie kennen mich nicht, aber ich Sie.«

Damit laberte er die Frauen voll. Eigentlich war sein Hobby absolut harmlos, die meisten Frauen blieben bloß Gesprächspartner. Nur einmal hat sich mein Vater richtig verliebt. Eine Frau mit außergewöhnlich zarter Stimme sang ihm von früh bis spät Volkslieder ins Ohr, und er trug ihr seine fürchterlichen Gedichte vor. Später schickte sie ihm ein Foto von sich. Auf dem Bild war ein junges Mädchen im Bikini zu sehen, sie lächelte schön und winkte verlockend in Richtung des Betrachters – meines Vaters. Er drehte prompt durch, rief sie sofort an und bestand auf einem Treffen. Das Ganze endete ziemlich tragisch, wenn auch komisch zugleich. Die Unbekannte erwies sich als siebzigjährige Schauspielerin mit einer sehr jungen Stimme. Sie saß im Rollstuhl und war von ihren ehemaligen Theaterkollegen vollkommen vergessen worden. Eine Familie hatte sie auch nicht.

Nachdem sich mein Vater von seinem Schock erholt hatte und sie sich näher kennen gelernt hatten, wurden sie gute Freunde. Mein Vater erzählte der Frau, dass er einen Sohn habe, der ständig nur irgendwelche Geschichten erzählen würde und dabei unfähig sei, etwas Solides zu lernen. »Dann muss er auf die Theaterschule«, sagte die alte Frau, »ich kenne dort den Chef.«

Ich machte schnell aus meinen acht Klassen über die Abendschule zehn und ging zur Theaterschule, um Dramaturgie zu studieren. Bei der Aufnahmeprüfung konnte ich mir den alten Spaß nicht verkneifen: Voller Inbrunst schrieb ich einen fünfseitigen Aufsatz zum Thema »Die Entscheidungen des XX. Parteitages und ihre Auswirkungen auf die Entwicklung der Landwirtschaft«. Mein Aufsatz stieß auf große Begeisterung.

Beim Studium lernte ich dann endlich viele Gleichgesinnte kennen. Nicht nur alle Studenten, auch die Lehrer waren größtenteils Hochstapler. Dies lag vor allem daran, dass wir eine Disziplin studierten, die vornehmlich aus heißer Luft bestand. Die meisten ausländischen Autoren, die wir im Studienprogramm hatten, waren nicht ins Russische übersetzt und entweder verboten oder wenigstens unerwünscht. Als Lehrliteratur benutzten wir meist Bücher, die von unseren eigenen Lehrern verfasst worden waren. Daneben erzählten wir uns gegenseitig Filme, die keiner gesehen hatte, und redeten über Bücher, die niemand kannte.

Die Dozentin für Theatergeschichte berichtete uns so leidenschaftlich vom Theater der Antike, als hätte sie selbst bei allen Stücken Regie geführt. »Wissen Sie, wie sich eine antike Tragödie von einer zeitgenössischen unterscheidet?«, fragte sie uns und beantwortete ihre Frage gleich selbst: »In der antiken Tragödie stirbt am Ende nur der Held, in einer zeitgenössischen geht auch der Chor mit drauf.« Viel später erfuhr ich, dass dies ein Zitat von Josef Brodski war. Dieses merkwürdige Studium entwickelte unsere Phantasie nur noch mehr: Von Beckett und Albee, Ionesco und Mrochek erfuhren wir nur aus solchen Büchern wie »Die Verderblichkeit der Kunst in der kapitalistischen Gesellschaft« oder »Die Krise der bourgeoisen Kultur«. Davon war unsere Institutsbibliothek voll. Gleichzeitig durften wir aus der Theaterbibliothek seltene Bücher über die Avantgarde in den Zwanzigerjahren ausleihen und entdeckten dabei eine Kultur, die in unserem Land totgeschwiegen wurde. Durch das Studium gewann ich ein neues Bild von Russland und seinen Menschen.

Noch während der Ausbildung fingen viele von uns angehenden Dramaturgen an zu arbeiten. Unsere Pädagogen waren auch unsere ersten Auftraggeber, weil sie alle noch hundert Nebenjobs übernommen hatten. Im zweiten Semester bekam ich ein Praktikum am Majakowski-Theater. Es war damals eines der berühmtesten Moskauer Theaterhäuser, und viele Fernsehstars standen dort auf der Gehaltsliste. Deswegen umzingelten jeden Abend Hunderte von Fans das Majakowski-Theater. Die jungen Mädchen kamen aus allen fünfzehn Republiken der Sowjetunion, um ihren Favoriten, den Schauspieler X oder den Schauspieler Y, wenigstens einmal lebend zu sehen. Dazu bildeten sie Gruppen und überwachten das Haus Tag und Nacht von allen Seiten.

Am meisten profitierten davon die Techniker: Beleuchter und Bühnenarbeiter. Kurz vor Beginn des Spektakels gingen sie raus und schnappten sich ein paar besonders hübsche und rücksichtslose Mädchen. Unter dem Vorwand, sie würden ihnen das wirkliche Leben des Theaters zeigen, brachten sie die Mädchen hinter die Bühne und erklärten ihnen, wer in einem Theater eigentlich das Sagen hätte und die Liebe der Mädchen wirklich verdienen würde:

nicht der längst verheiratete Schauspieler X oder Y, sondern sie, die Bühnentechniker, machten die Verzauberung durch die Kunst erst möglich.

Die Schauspieler selbst fürchteten ihre weiblichen Fans wie die Pest. Oft trauten sie sich nicht allein aus dem Theater nach Hause und saßen bis um drei Uhr morgens in der Kantine. Ihre Fans waren oft gewalttätig. Einmal griffen die Mädchen zum Beispiel die schwangere Frau des Schauspielers X an und drohten, sie umzubringen, wenn sie dem Schauspieler X eine Tochter statt eines Sohnes gebären würde. Der Schauspieler Y musste sich mehrmals unter seinem Wagen verstecken. Einmal, als er im Stau in der Nähe des Theaters stecken geblieben war und die Fans daraufhin seine Kleider als Souvenirs zerrissen hatten, musste er die restlichen hundert Meter zum Noteingang nackt laufen.

Als junger Praktikant war ich zunächst von dem Theaterleben schwer begeistert. Obwohl das Theater sich gerade inmitten einer Krise befand. Der Chefregisseur des Hauses hatte viele ausländische Autoren inszeniert, deren politische Botschaft zu dunkel war: Neil Simon, Tennessee Williams, Virginia Woolf, noch mal Tennessee Williams und noch mal… Der Verantwortliche für die ideologische Ausrichtung der Moskauer Bühnen beim Kulturministerium besuchte unseren Chefregisseur fast jede Woche in seinem Kabinett.

»Warum setzen Sie keine Stücke sowjetischer Autoren auf den Spielplan? Interessiert Sie die sozialistische Problematik etwa nicht?«

Der Chef war im Krieg zweimal verwundet worden, zuletzt bei der Erstürmung Berlins, und mindestens zwanzig Orden zierten seine Brust.

»Das hier ist mein Theater, eines der besten in unserem sozialistischen Vaterland«, antwortete er dem Beamten, »und ich habe mir im Krieg die Freiheit erkämpft, jetzt das zu inszenieren, was ich für nötig erachte. Für die sozialistische Problematik habe ich mein Blut vergossen, als du noch in die Hose gepinkelt hast, also lass mich mit deinen Ratschlägen in Ruhe.«

Eine Zeit lang hielt sich das Kulturministerium auch wirklich vom Majakowski-Theater fern und gewährte ihm einen besonderen Status. Aber dann wurden die anderen Bühnen auf unsere Insel der Freiheit eifersüchtig. Warum darf das Majakowski-Theater immer wieder ausländische Autoren inszenieren und wir nicht?, hakten sie im Kulturministerium nach. Also bekam der Chef die dringende Anweisung, ein politisches Drama zu inszenieren, auf Empfehlung von ganz oben. Das von einem bekannten KGB-Politologen verfasste Drama wurde ihm auch sogleich zugeschickt. »In Santiago regnet es« hieß das Stück. Es handelte vom Putsch in Chile – mit viel Krach und Latinoliebe. Unser einäugiger bisexueller Parteizellenleiter im Schauspielerkollektiv durfte Pinochet spielen. Er war außer sich vor Freude, endlich einmal wieder eine große Rolle bekommen zu haben. Vor drei Jahren hatte er bei einem Autounfall ein Auge verloren und seitdem immer nur den bösen Geist aus der Truhe im Kindermärchen »Iwan, der König« gespielt – und das jeden Sonntag um zehn Uhr. Jetzt durfte er endlich wieder mit den anderen zusammen auf der großen Bühne stehen.

Keiner der Stars wollte Allende spielen. Das Stück war entsetzlich pathetisch und ziemlich schlecht. Es hatte allerdings eine einzige gute Actionszene: Als Allende von all seinen Freunden allein gelassen wird und sein Präsidentenpalast von den Panzern der Armee eingekesselt ist, springt er mit einer Kalaschnikow von einem Fenster zum anderen und schreit: »Ihr kriegt mich niemals, verdammte Verräter.« In diesem Moment begreift Pinochet irgendwie, dass die Panzer gegen Allende machtlos sind. Er schleicht sich in den Präsidentenpalast mit einer dunklen Brille und einem Messer in der Hand... Das Ganze erinnerte an Caesar und Brutus. Aber insgesamt war das Stück kitschig, und die Geschichte des Putsches wirkte eher peinlich als tragisch.

Nach langem Hin und Her bekam der Schauspieler X wegen seines soliden Aussehens die Rolle von Salvador Allende und musste die ganze Zeit auf der Bühne mit einer Kalaschnikow in der Hand herumlaufen. Ganz begeistert war er darüber nicht: »Ich habe erwachsene Kinder. Sie werden mich auslachen! Darf ich nicht einen der Soldaten spielen?«, jammerte er jeden Tag auf den Proben. Bei dieser Theaterproduktion wollte keiner, außer dem einäugigen Pinochet, im Vordergrund stehen, alle waren nur scharf auf die kleine Rolle eines Soldaten im Hintergrund, der nur zweimal die Bühne betreten musste: einmal am Anfang, wo er so etwas wie eine Ansage machte: »Dies ist die traurige Geschichte von Salvador Allende, von seinem Aufstieg und seinem Tod…« Am Ende kam der Soldat noch einmal, schaute sich die Leichen an und schüttelte stumm den Kopf – kurzum: eine Traumrolle.

Meine Rolle als Praktikant war nicht viel größer. Ich wurde zuerst wie jeder Neuankömmling ins Kindermärchen am Wochenende gesteckt und spielte dort die Regieassistenz. Als solche musste ich aufpassen, dass alle Schauspieler rechtzeitig auf der Bühne standen, und zwar nüchtern und möglichst im richtigen Kostüm. Außerdem sollten ihre Texte in etwa dem originalen Märcheninhalt ähneln. Bei den Kindervorstellungen waren fast ausschließlich junge, neue Schauspieler beschäftigt, die ihre Probezeit noch nicht absolviert hatten, und manchmal dauerte »Iwan, der König« eine ganze Stunde länger als geplant. Die Kinder, das dankbarste Publikum der Welt, entwickelten gegenüber den Schauspielern eine große Toleranz. Die meisten hatten »Iwan, der König« bereits mehrmals gesehen und gaben den neuen Iwan-Darstellern jedes Mal gute Ratschläge, wenn sie mal wieder die Orientierung zwischen den Guten und den Bösen verloren oder gar vergessen hatten, die schöne, kluge Prinzessin zu befreien.

Der Grund für solche und ähnliche Pannen war der ständig steigende Alkoholkonsum unter den jungen Schauspielern. Bei den Abendvorstellungen waren immer zwei Administratoren anwesend. Sie liefen durch die Garderobe mit einem Alkoholmessgerät wie bei der Streifenpolizei, und jeder Schauspieler musste einmal reinpusten. Wer mehr als 0,5 Promille hatte, durfte nicht auf die Bühne. Nur bei den Kinderstücken gab es keine Kontrollen, weil kein Administrator Lust hatte, seine Sonntagvormittage im Theater zu verbringen. Und deshalb endeten unsere Märchen auch jedes Mal anders. Einmal war das fliegende Wunderpferd – ein sehr begabter junger Mann, frisch von der Theaterschule – auf der Bühne eingeschlafen. Dadurch geriet der König in eine blöde Situation: Er steckte in der Schatzhöhle fest ohne jede Fluchtmöglichkeit, von den Räubern umzingelt. Diese seine Erzfeinde mussten nun improvisieren. Sie schlossen kurzfristig einen Frieden und zerrten mit dem König zusammen das Wunderpferd von der Bühne.

Ein andermal passierte dasselbe Unglück mit dem Geist aus der Truhe: Er kam einfach nicht raus. Iwan, der König, erklärte daraufhin den Kindern, der Geist sei unsichtbar geworden, und so musste der Schauspieler nun für den Rest der Vorstellung außer seinem eigenen auch noch den Text des Geistes sprechen. Wieder ein anderes Mal hatten zwei Bühnentechniker, die unseren Wundervogel – eine hübsche junge Schauspielerin – an zwei Seilen hochziehen und wieder herunterlassen mussten, am falschen Seil gezogen. In dem Glauben, der Wundervogel sei bereits wieder unten, waren sie weggegangen. Die junge Schauspielerin hing aber weiter in der Luft, eine ganze Stunde lang, und schimpfte wie ein Rohrspatz. Anstatt den König zu verführen, erschreckte

sie die Kinder mit für einen Wundervogel ganz un-
üblichen Kraftausdrücken.

Trotz oder vielleicht gerade wegen der vielen Pannen lief unser Märchen sehr erfolgreich und war bei
den Moskauer Kindern, aber auch bei vielen Eltern,
beliebt. Auch nach über vierhundert Vorstellungen
gab es an den Vormittagen so gut wie niemals einen
freien Platz. Darauf war der Chef stolz. Das Majakowski-Theater bekam am wenigsten staatliche Sub-
ventionen, der Chef wollte Unabhängigkeit und entwickelte eine fixe Idee: Ein gutes Theater kann mit
vielen Inszenierungen auch ganz ohne Zuschüsse
über die Runden kommen. Deswegen hatten wir
manchmal, zum Beispiel am Sonntag, drei Vorstellungen hintereinander: ein Märchen am frühen Vor-
mittag, ein Jugenddrama am Nachmittag und ein
Shakespeare-Stück am Abend. Manchmal kam es
sogar noch zu einer vierten Vorstellung, als Gastspiel
in einem Kulturhaus.

Für das relativ kleine Ensemble war ein solcher Ter-
minplan sehr anstrengend. Die Schauspieler waren
oft überreizt und brachten ihre Rollen durcheinander. Einmal verkündete Lady Macbeth plötzlich auf
der Bühne, dass sie nicht zum Geburtstag ihrer Eng-
lischlehrerin gehen würde, und brachte dadurch

ihren Kollegen in große Schwierigkeiten. Für die Insider waren ihre Aussagen gut nachvollziehbar. Sie wussten, dass Lady Macbeth bereits am Nachmittag in einem Jugenddrama über Freundschaft und Verrat die Hauptrolle gespielt hatte. Doch für die normalen Zuschauer war es ein Rätsel, wofür Lady Macbeth Englischunterricht brauchte.

Allein mit Hilfe von Alkohol gelang es den Schauspielern, sich schnell und leicht in eine neue Rolle hineinzufinden. Dem Chefregisseur war bewusst, dass er zu viel von seinen Mitarbeitern verlangte, deswegen entwickelte er eine gewisse Nachsicht dem Alkohol gegenüber. Was vor und nach der Vorstellung in den zahlreichen Garderoben des Hauses passierte, interessierte ihn nicht. Nur auf der Bühne musste jedes Ensemblemitglied einigermaßen trocken wirken. Einer, der sich betrunken vom Publikum erwischen ließ, bekam ein langfristiges Spielverbot und musste zur Strafe zwei Monate lang an einem Aerobic-Workshop teilnehmen, der jeden Tag um acht Uhr morgens im Ballettsaal des Theaters stattfand.

»Herr Stein bringt euch wieder in Form«, drohte der Chef auf jeder Theaterversammlung. »Er bringt euch die Gummibärchen-Gymnastik bei, und zwar so lange, bis jeder sich selbst am Arsch lecken kann!«

Den Choreographen Stein, der diese Strafmaß-
nahme leitete, fürchtete jeder im Theater. Die
Schauspieler passten daher höllisch auf, sich nicht
betrunken erwischen zu lassen, und trotzdem gewann das Aerobicensemble jeden Monat neue Mitglieder. Stein freute sich jedes Mal, wenn ein Neuankömmling in seinen Workshop geriet. »Sie sehen aus
wie eine Bulette, aber keine Sorge, in zwei Wochen
werden Sie sich im Spiegel nicht mehr wieder erkennen. Legen Sie sich auf den Tisch und heben Sie
bitte die Beine an.« Mit diesen Worten sprang der
Choreograph Stein auf den Schauspieler und zog
ihm kräftig die Beine über den Kopf. Die Knochen
knackten, im Ballettsaal roch es stark nach Schweiß
und Alkohol.

Stein war ein kleiner, sehr temperamentvoller
Mann Mitte dreißig, der fünf Jahre das berühmte
»Jüdische Theater« in Moskau geleitet hatte und wegen politisch unkorrekten Verhaltens vor Gericht gekommen war. Er selbst hielt sich für einen Dissiden-
ten, der gegen das Regime gekämpft hatte, obwohl
die Anklage gegen ihn anders lautete: Er wurde wegen schweren Angriffs auf einen Straßenpolizisten
zu zwei Jahren Zwangsarbeit verurteilt. Seine Mutter, eine verdiente Schauspielerin der Sowjetunion,
hatte jedoch gute Beziehungen zum Kulturministe-

rium. Also musste Stein seine Strafe nicht in einem gesundheitsschädigenden Chemiebetrieb abbüßen, sondern im Majakowski–Theater dem Staat zwei Jahre als Choreograph dienen.

Stein selbst meinte, die ganze Geschichte mit dem Milizionär wäre eine einzige KGB-Provokation gewesen. Die Staatssicherheit hätte einfach »Das jüdische Theater« schließen und ihn selbst eliminieren wollen. Diesen Wunsch des KGB konnte bald jeder im Majakowski-Theater gut nachvollziehen. Stein war ein wahrhaftiger Querulant. Deswegen zweifelte niemand von uns daran, dass er dem Milizionär tatsächlich den Zeigefinger abgebissen hatte.

Es war so: Stein hatte eine schwedische Freundin, die bei ihrer Botschaft in Moskau arbeitete. Die Frau war dann auch oft bei uns im Theater. Sie war freundlich, rothaarig und riesengroß, mindestens dreimal so groß wie ihr Freund Stein. Er nannte sie denn auch »mein Berg«. Berg und Stein – das war ein einzigartiges Pärchen. In gewisser Weise war sie an seiner Verhaftung schuld gewesen, weil sie ihm ihr Auto zur Verfügung gestellt hatte, einen weißen Mercedes mit Nummernschildern der schwedischen Botschaft. Es gab damals in Moskau nicht viele Autos von dieser Sorte. Stein raste mit dem Ding durch die Stadt, und kein Polizist wagte es, ihn anzuhalten.

Aber wie ein russisches Sprichwort sagt: »Für jeden Arsch findet sich irgendwann einmal ein Bohrer.«

Eines Tages wurde der rasende Stein von einem Milizionär angehalten.

»Weißt du, mit wem du es zu tun hast? Siehst du die Nummernschilder nicht?«, rief Stein ihm aus dem Auto zu, »das wird dich deinen Job kosten, du Affe!«

Der Polizist ließ sich nicht beeindrucken.

»Steigen Sie bitte aus«, sagte er ruhig, »ich möchte Ihre Papiere sehen.«

»Ich denke gar nicht dran«, erwiderte Stein.

»Dann muss ich Ihren Wagen bis auf weiteres beschlagnahmen«, entschied der Polizist und streckte seine Hand ins runtergelassene Fenster, um die Autoschlüssel an sich zu nehmen.

Der verrückte Stein biss ihn mit aller Kraft in den Finger und gab Gas. Der vom Künstler gebissene Polizist bewahrte Ruhe. Er benutzte die restlichen Finger, um sich schnell die Nummer des Wagens zu notieren. So kam Stein vor Gericht, und der verletzte Polizist sagte gegen ihn aus.

»Das nächste Mal beiße ich dir den Kopf ab«, schrie Stein im Gerichtssaal.

Und nun musste ich als Praktikant mit diesem Mann im Majakowski-Theater zusammenarbeiten.

Obwohl ich so gut wie gar nicht getrunken habe und wenn schon, dann nur um den Schauspielern Gesellschaft zu leisten, fiel ich beim Chef in Ungnade. Neben der Regieassistenz bei den Kindermärchen am Wochenende gehörte es zu meinen Pflichten, bei den Proben der aktuellen Produktion anwesend zu sein. Ich sollte Kaffee und Tee kochen, Aschenbecher leeren, für den Chef neue Bleistifte besorgen, mit einem Wort: die übliche Arbeit eines Jungdramaturgen erledigen. Die aktuelle Produktion des Majakowski-Theaters war damals gerade das schon erwähnte Politdrama »In Santiago regnet es«.

Die Proben fanden jeden Tag statt, manchmal sogar in Anwesenheit des Autors, des berühmten Politologen. Jedes Mal brachte dieser Mann eine unmöglich ernsthafte Stimmung ins Spiel. Er ging allen auf die Nerven, vor allem dem Chef. Der Politologe gab ihm ständig Ratschläge, wie man am besten diese oder jene Szene gestalten sollte, außerdem erklärte er den Schauspielern immer wieder die politische Situation in Chile. Unseren Allende fand er zu dick, der Pinochet sollte sich seiner Meinung nach anders bewegen und überhaupt gefährlicher wirken.

»Er läuft wie eine Hure über die Bühne, als ob er Allende von hinten bedienen wollte«, regte sich der Politologe auf. Er ahnte nicht, wie nahe seine Wörter der Wahrheit kamen. Der einäugige, bisexuelle Pinochet war nämlich schon seit Jahren hinter dem glücklich verheirateten Schauspieler X her, aber bisher immer vergeblich. Nun waren die beiden endlich zusammen auf der Bühne, und Allende musste tierisch aufpassen.

Die Arbeit an dem Stück ging nicht voran. Dafür gab es viele Gründe: Die Waffen, die extra für die Inszenierung von den Kollegen aus dem Moskauer Filmstudio ausgeliehen und ins Haus gebracht worden waren, verschwanden. Viele Techniker benahmen sich wie die Kinder, als sie die Kalaschnikows herumliegen sahen, obwohl allen Maschinengewehren der Lauf versiegelt und sie zum Schießen nicht mehr zu gebrauchen waren. Überall stieß man im Theater auf Bewaffnete, sie sprangen aus den Ecken hervor, um ihren Kollegen Angst zu machen.

Auch die Schauspieler nahmen das Politdrama »In Santiago regnet es« nicht sonderlich ernst. Jedes Mal, wenn der Politologe das Theater verließ, brach das Ensemble in Lachen aus. Zuerst lachte der Chef noch herzlich mit, doch dann begriff er, dass die Inszenierung außer Kontrolle geraten war und sich langsam in eine alberne Komödie verwandelte. Daraufhin bekamen alle Santiago-Mitwirkenden ein Lachverbot. Alle Waffen, sogar das harmlose Messer von Pinochet, kamen in eine Waffenkammer, die extra für die Produktion eingerichtet wurde.

»Wenn ich noch einmal einen einzigen Witz über den Chile-Regen höre, landet der Verantwortliche sofort bei Herrn Stein im Ballettraum. Aus jedem Komiker mache ich einen Aerobicer«, kündigte der Chef an.

Damit es allen klar wurde, wie ernst ihm die Sache war, statuierte er auch gleich ein Exempel. Und ausgerechnet ich, das Aschenputtel der Produktion, war das Opfer. Der Politologe erschien zwei Wochen lang nicht zu den Proben, und wir dachten schon naiv, er hätte gekündigt. Doch eines Tages war er wieder da. Der Chef ordnete sofort eine Rauchpause an, die Schauspieler kamen von der Bühne runter. Ich brachte für alle Kaffee. Unser Gast erzählte, er sei gerade in wichtiger Mission in Lateinamerika unterwegs gewesen. »Hoffentlich regnete es dort nicht wieder«, rutschte es mir plötzlich von der Zunge. Die Schauspieler kicherten, der Politologe hatte es, glaube ich, gar nicht verstanden, zumindest ließ er sich nichts anmerken. Der Chef wurde dagegen rot vor Zorn.

Bereits am nächsten Tag landete ich bei Stein, jedoch nicht als Teilnehmer seines Workshops, sondern als seine Aushilfe. Stein war damals sechsund-

dreißig, für einen Achtzehnjährigen also ein alter
Mann. Innerlich imponierten mir seine Rücksichts-
losigkeit, seine Radikalität im Umgang mit anderen
Menschen und mit sich selbst. Er nannte alles beim
Namen, hatte vor nichts Angst, fand den Sozialismus
zum Kotzen und machte daraus kein Geheimnis.
Außerdem konnte er sehr gut tanzen, spielte alle
möglichen Instrumente und schrieb lustige Gedichte, die er immer wieder gerne vortrug.

Wir kamen gut miteinander aus. Zweimal in der
Woche drückte er mir die Autoschlüssel von seinem
weißen Mercedes in die Hand, den er vor dem Theater geparkt hatte. Ich musste die neuesten Schallplatten mit Aerobicmusik aus dem Kofferraum ho-
len. Langsam schlenderte ich aus dem Theater raus
zum Wagen, öffnete die Vordertür, setzte mich eine
Weile ans Lenkrad und tat so, als ob ich meine Zigaretten in der Schublade suchte. Die zahlreichen
Mädchen, die Tag und Nacht vor dem Theater standen, bekamen bei diesem Anblick einen Schluckauf:
Der junge, angehende Star und sein geiles Auto. Ich
zündete mir langsam eine Zigarette an, stieg wieder
aus und öffnete mit einer coolen Bewegung den Kofferraum. Dort lagen in einer großen Ledertasche
die neuen Schallplatten, die Stein regelmäßig aus
Schweden zugeschickt bekam. Ich stellte mir vor,

das wäre mein Wagen und ich hätte dem Polizisten in die Hand gebissen. Ich konnte sogar den Geschmack des Fingers im Mund spüren. Diese Show machte mir großen Spaß. Innerlich bereitete ich mich darauf vor, Autogramme zu verteilen. Stein, der diese Szenen durchs Fenster beobachtete, hätte mich leicht wegen meines kindischen Verhaltens auslachen können, was ganz seiner Art entsprochen hätte, er tat es aber nicht.

Manchmal fuhr Stein mit mir und seiner schwedischen Freundin zum Restaurant »Schauspieler« in die Gorki-Straße. Wir tranken dort moldawischen Fünfsternecognac *Der weiße Storch* für drei Rubel das Glas. In angetrunkenem Zustand versuchte Stein regelmäßig, mit den Gästen eine Schlägerei anzufangen, denn aus für mich unerfindlichen Gründen konnte er keine Schauspieler leiden. Vielleicht lag es daran, dass seine Eltern Schauspieler waren. Seine Freundin und ich zerrten ihn dann jedes Mal aus dem Lokal und in sein Auto. »Ihr seid keine Menschen«, rief Stein den Schauspielern nach, »ihr seid weiße Strolche! Kleine, doofe Strolche!«

Langsam gewöhnte ich mich an meinen neuen Praktikumsplatz, und schon bald gefiel es mir im Ballettraum, wo ich die neuen Schallplatten auflegte, besser als im großen Saal des Theaters, wo ich die

Aschenbecher leeren musste. Stein hatte seinen persönlichen KGB-Aufseher, der ihn ständig kontrollieren musste. Nach jedem Gespräch mit ihm schrieb Stein ein Gedicht, in dem er den Inhalt ihrer Unterhaltung in Reimen wiedergab. Mit solch einem Gedicht fing normalerweise der Aerobicunterricht an. Einmal kam der Aufseher in den Ballettsaal. Er trug einen grauen Anzug, hatte einen Offiziershaarschnitt und eine Boxernase. Stein umarmte ihn wie seinen besten Freund. »Mein Mann beim KGB«, stellte er uns den Kerl vor. Der Mann saß eine Weile schweigend bei uns im Raum. Als Stein für einen Moment rausging, kam er zu mir:

»Pass auf, Junge, dein Freund ist ein gefährlicher Mensch. Ich kenne ihn schon lange. Jedes Mal, wenn er Scheiße baut, gehen die anderen dabei drauf. Stein selbst kommt aus jeder Geschichte heil raus. Er hat einen Schutzengel – ganz oben.«

Der KGB-Mann zeigte mit dem Finger zur Stuckdecke.

»Also, wenn du etwas in der Richtung weißt, hier ist meine Nummer. Wir bleiben in Verbindung.«

Er gab mir eine Karte mit seiner Telefonnummer drauf.

»Leck mich, du Spionagearsch!«, dachte ich bei mir und steckte seine Karte ein.

Es kam dann aber wirklich so, wie er es vorausgesehen hatte. Nach einer Weile fand im großen Saal des Majakowski-Theaters die Premiere des zu Ende gequälten Politdramas »In Santiago regnet es« statt. Die ersten fünf Reihen waren von Beamten des Kulturministeriums besetzt, dazu war die Parteizelle des Theaterverbandes vollzählig erschienen sowie das übliche Premierenpublikum. Stein und ich hingen wie zwei ausgestoßene Engel auf der obersten Lichtbrücke zwischen zwei Scheinwerfern. Wider Erwarten war diese schwierige Inszenierung unserem Chef doch gelungen. Die politischen Ereignisse in Chile hatte er nur benutzt, um die Charaktere in einer extremen Situation aufeinander prallen zu lassen. Das gab viel Stoff zum Spielen. Und die Schauspieler waren nicht umsonst im Volk so beliebt, sie waren gut. Aus einem Politdrama wurde ein menschliches Drama, und den Zuschauern war es egal, ob sich die Geschichte in Chile oder sonst wo abspielte. Im Saal war es still, alle waren mitgerissen. Nur Stein gefiel die Vorstellung offenbar nicht. Er war an dem Abend besonders schlecht gelaunt und beschimpfte ununterbrochen das Publikum.

»Siehst du diese Strolche da unten? Wie hypnotisiert sitzen sie da. Alles werden sie fressen, an jedes Märchen glauben sie, Hauptsache, ihr Held hampelt auf der Bühne herum. Ich werde ihnen die Illusionen nehmen!«

Stein wurde plötzlich laut.

»Nicht nur in Santiago, auch bei uns regnet es ab und zu«, schrie er, ließ seine Hosen runter und pinkelte von der Lichtbrücke in den Zuschauerraum.

Ich war schockiert, wusste aber nicht, was ich tun sollte. Die Leute im Saal, die von Steins Strahl erwischt wurden, klappten ihre Programmhefte zu Regenschirmen auf, sprangen aus ihren Sesseln und schlichen zum Notausgang, während die Vorstellung weiterlief.

»Hör endlich auf!«, sagte ich zu Stein.

Er reagierte nicht. Es wurde immer peinlicher. Er pinkelte und pinkelte, unmöglich, wie viel Flüssigkeit so ein kleiner Mann in sich hat. Auf der Lichtbrücke waren wir für den Ordnungsdienst schwer erreichbar, daher konnten wir verschwinden, bevor sie zu uns vordrangen. Hinterher wollte keiner glauben, dass Stein ganz allein so lange von der Lichtbrücke pinkeln konnte. Für alle war ich automatisch mitbeteiligt. Das Kulturministerium beharrte auf einer zionistischen Verschwörung im Majakowski-Theater, die es sich zur Aufgabe gemacht hatte, die sowjetischen Kulturpolitik öffentlich verächtlich zu machen. Radio Stockholm berichtete über den Vorfall und bemerkte, dass die Aktionskunst in Russland sich immer mehr politisiere. Im Theater fand ein so genanntes Kameradschaftsgericht statt. Stein wurde »unmenschliches Verhalten in der Öffentlichkeit« vorgeworfen, mir unterstellte man Beihilfe. Diese Geschichte hätte für uns schlimm ausgehen können, aber der Chef schaffte es, alle von der Harmlosigkeit unserer Verschwörung zu überzeugen, und verbürgte sich sogar für uns. Stein drohte dennoch der Knast, weil er bereits vorbestraft war.

Aber dann bestätigte sich die Voraussage des KGB-Mannes: Stein verschwand aus dem Majakowski-Theater und tauchte wenig später in der Provinz wieder auf. In einem Theater in Saratow durfte er seine Arbeit als Choreograph fortsetzen. Ich verlor dagegen meinen tollen Praktikumsplatz und bekam noch zusätzlich eine zweistündige Belehrung durch die Mitarbeiter der Jugendabteilung des KGB aufgebrummt. Anschließend wollten sie von mir unbedingt wissen, ob ich eher dem Faschismus zugeneigt sei oder der Homosexualität.

Inzwischen hatten alle Studenten in meiner Schule ihr Praktikum abgeschlossen, und ich stellte erstaunt fest: Während ich leichtsinnig das Theaterleben genossen und mit Stein *Den weißen Storch* im Restaurant »Schauspieler« gekostet hatte, hatten meine Kommilitonen richtig Geld verdient. In meiner Studentengruppe galt ich als zurückgeblieben. Mit achtzehn Jahren hatte ich noch nicht einmal einen Dollarschein aus der Nähe gesehen. Selbst die Rubelscheine ließen sich nicht jeden Tag bei mir blicken, von ausländischen Währungen ganz zu schweigen. Viele meiner Kommilitonen hatten dagegen längst Dollarscheine in der Tasche, einige konnten sich damit den Arsch abwischen, so reich waren sie.

Viele Studenten gingen jeden Tag Ausländer melken. Mitte der Achtzigerjahre weideten die reichen Touristen aus dem Westen in großen Herden zwischen dem Roten Platz und dem Intourist Hotel und wollten ihr Geld in Rubel umtauschen. Das nutzten meine Freunde aus. Am leichtesten ließen sich die Japaner melken. Denen konnte man unter Umständen sogar jugoslawische Dinare statt Rubel andrehen. Damit erhöhte sich der Gewinn gleich um hundert Prozent. Auf den Dinarscheinen war das Gesicht von Tito abgebildet. Der eine oder andere Japaner zeigte auf ihn und fragte, wer das sein solle. Ohne mit der Wimper zu zucken behaupteten die Unseren, dies sei Lenin. Manchmal wurde ein Japaner misstrauisch und meinte, der Mann auf dem Geldschein sei einfach zu jung, um ein Lenin zu sein. »Achtung vor Lenin«, verlangte der Verkäufer, »er hat hart gekämpft und ist jung gestorben.«

Dieses Argument wirkte immer sehr überzeugend auf die vorsichtigen Japaner, sie nahmen die Dinare und gingen über den Roten Platz in irgendwelche Läden, um das Geld auszugeben. Alle Eiscreme- und Bulettenverkäufer in der Umgebung des Intourist-Hotels wussten von der Verarsche und lachten sich jedes Mal halb tot, wenn sie einen neuen Japaner mit einem 100-Dinar-Schein sahen.

Die Amerikaner waren dagegen sehr zickig, selbst echte Rubelscheine kamen ihnen verdächtig vor. Auf den russischen Banknoten von 10 bis 100 Rubel war immer nur ein einziger Mensch abgebildet – Lenin. Aber in verschiedenen Abschnitten seines ruhmreichen Lebens. Je größer die Scheine, desto älter war der Lenin darauf.

»Warum hat Lenin hier lange Haare?«, schikanierten uns die Amerikaner, wenn sie einen Hunderter sahen. Jedes Kind in Amerika wusste schließlich, dass Lenin von Kindheit an eine Glatze getragen hatte. Aber das, was die Amerikaner für Lenins Haare hielten, waren in Wirklichkeit zu fett gedruckte Wasserzeichen, die sich wie Locken um Lenins Kopf gelegt hatten.

Überhaupt signalisierte die Glatze in Russland

schon immer einen gesellschaftlichen Umbruch, eine Revolution, und jeder zweite Herrscher hatte eine. So wechselten sie sich ab: Glatze, keine Glatze, dann wieder Glatze, dann wieder keine. Jedes Mal wenn die Glatze die Macht übernahm, gab es einen Knall, und alles veränderte sich. Ging die Glatze, wurde alles wieder wie früher. Die Zeit des Intourist-Hotels war die Zeit der Hoffnung auf eine neue Glatze, auf Veränderung. Als Gorbatschow zum ersten Mal im Fernsehen auftrat, freute sich das Volk, denn er hatte eine prächtige Glatze. Neue Zeiten brachen an. Die reichen Ausländer weideten nun nicht mehr nur auf dem Roten Platz, sie waren überall. Einmal kamen sie sogar in unsere Theaterschule.

»Wir sind auf diesen Besuch gut vorbereitet«, meinte der Direktor zu uns, »es fehlt nur noch das Toilettenpapier auf dem Klo. Aber dafür habe ich auch schon eine Lösung gefunden.«

Er sammelte die dreieckigen Servietten in der Kantine ein, wo sie jahrelang unbenutzt in Plastikbechern auf den Tischen gestanden hatten, und verteilte sie in den Klokabinen. Nach dem Empfang der Ausländer brachte der Direktor die Servietten wieder in die Kantine zurück, wo er sie sorgfältig auf den Tischen verteilte.

Noch während der Ausbildung fingen viele von uns an, zu arbeiten, und auch ich bekam im dritten Semester meinen ersten eigenen Auftrag: Ich sollte für das Silvesterfest im Iljitsch-Kulturhaus ein Stück mit Väterchen Frost und Schneewittchen in den Hauptrollen schreiben. Und 500 Rubel bar auf die Hand. Das war eine Menge Geld. Und danach ging es weiter und weiter mit Stadtfesten, Pionierlager-Kulturprogrammen... Ich arbeitete vier Monate im einen Theater, dann zwei in einem anderen... Das Wichtigste in diesem Job war nicht das Geld. Damit konnte man bei uns sowieso nicht viel anfangen. Es ging eher um die eigene Courage und um die Zugehörigkeit zu einer bestimmten Gruppe, zur Bohème: Berufshochstapler, Menschen mit mehrdeutigen Biografien und Künstlernamen, die zwischen avantgardistischen Kinozeitschriften, Volksfesten, Dissidentenliteraturen und dem KGB-Verlag »Das Politische Buch« pendelten und von allem etwas hatten. Obwohl jung, brachte ich es schnell fertig, alles Negative, was ein Bürger der Sowjetunion nur anstellen konnte, zu akkumulieren. Ich war kein richtiger Russe, weil in meinem Pass »Jude« stand, nicht Komsomolze, ein wenig Hippie und ein passiver Dissident. Ich trank Alkohol mit Unbekannten und versuchte, wenn sich die Möglichkeit ergab, schwarz

Geld zu verdienen. Wie viele meiner Freunde hatte auch ich mehrere Auseinandersetzungen mit Organen des Ordnungsdienstes, und in dem so genannten »Schwarzen Buch« der Jugendabteilung des KGB war ich auch registriert.

Alles in allem: kein schlechter Beginn.

Tiertransport

Die Achtzigerjahre begannen mit dem Olympiajahr in Moskau. Trotz des Boykotts vieler westlicher Länder wollte der damalige Generalsekretär Leonid Breschnew unbedingt verhindern, dass das Ganze zu einer bloßen Propagandaschau wurde. Aus den Olympischen Spielen sollte eine große kulturpolitische Veranstaltung werden. Moskau wurde gründlich von Schmarotzern aller Art gesäubert und neue elektronische Anzeigetafeln für die Stadien über pakistanische Strohfirmen von den Amerikanern gekauft. In der Stadt lief nichts. Keine Undergroundkonzerte, keine Versammlungen, keine Demonstrationen. Überall Polizisten in Zivil und Polizisten in Uniform. Artillerie und Kavallerie. Ich bekam eine Vorladung von der Jugendabteilung des Sicherheitsdienstes. Der Beamte kannte mich und ich ihn auch. Es sei ihm bekannt, dass ich mich für Sport nicht so interessieren würde, meinte er, es wäre deswegen für

alle besser, wenn ich für einige Zeit die Stadt ver-
ließe. Als freundliche Geste bot er mir sogar an,
mich im Polizeiwagen zu einem Bahnhof meiner
Wahl fahren zu lassen. Abgemacht, ich wollte nach
Riga.

Unterwegs zum Rischjski-Bahnhof erzählte mir der
Fahrer, ein Leutnant der Miliz, von einer geheimen
Fabrik, die im Auftrag der Regierung für die Zeit der
Olympischen Spiele russisches Pepsi-Cola produ-
ziere. Ich zweifelte an seiner Geschichte, daraufhin
schwor er, zu Hause bereits eine ganze Kiste von
dem Zeug zu haben. Wir machten einen Umweg und
schauten bei ihm zu Hause vorbei. Die Kiste war tatsächlich da. Er schenkte mir eine Flasche mit dem
Zaubertrank, damit auch ich ein bisschen von den
Olympischen Spielen profitierte.

Der Rischjski-Bahnhof wirkte so leer, als ob man
bereits halb Moskau deportiert hätte. Im Zug trank
ich die russische Pepsi-Cola aus. Sie roch nach Wochenende, nach den süßen Wonnen des kapitalistischen Zerfalls, nach Amerika. Die leere Flasche
schenkte ich der Schaffnerin. Sie war glücklich, ich
war glücklich, es war Sommer, und allen ging es gut.
In der Schlange zum Klo lernte ich zwei entlassene
Sträflinge kennen. Beide hatten eine Stange Geld in

der Hosentasche, und beide waren aus Moskau weg-
gefegt worden – wegen der Olympiade und so. Wir
gingen zusammen essen und spielten Karten, die
ganze Nacht durch. Am Ende hatte ich etwas Geld.
Abends war ich in Riga. Hier lief alles normal. Keine
Spur von den Olympischen Spielen. Ich besuchte
meinen alten Freund George, der Reportagen für
»Voice of America« machte und sich auch sonst
nichts entgehen ließ.

Unterwegs machte ich eine interessante Beobach-
tung: In Riga wurden in jedem Lebensmittelladen
alle möglichen Lebensmittel verkauft. Bei uns in
Moskau nur Brot und Tomatensaft in Dreiliterbüch-
sen. Ich kaufte etwas Wurst und Marmelade, nicht
aus Hunger, sondern aus Spaß. Die komischen Ri-
gabewohner wussten ihr Glück nicht zu schätzen.
Bei George gab es nicht einmal einen Kühlschrank.
Von den Lebensmitteln hatte er nur vom Hörensa-
gen erfahren. »The Voice of America« zahlte sehr un-
regelmäßig. Wir aßen zusammen Wurst und Marmelade, dabei erzählte ich ihm die Geschichte von der
russischen Pepsi-Cola, und er glaubte mir natürlich
nicht. Schade, dass ich die Flasche verschenkt hatte.

George hatte einen neuen Job: Er sollte als Begleitposten mit dem Rinderzug von Lettland nach
Usbekistan fahren. Drei Wochen hin, einen Tag zu-

rück – 500 Rubel bar auf die Hand, inklusive Rück-
flugticket. Eigentlich gehörten immer zwei Leute
zu so einem Begleitposten. Ob ich nicht mitfahren
wollte? Natürlich wollte ich mitfahren. Unsere Aufgabe bestand darin, sechsundvierzig Rinder lebend
nach Samarkand zu bringen. In Büchsen wäre es
bestimmt leichter gewesen. »Was haben die Viecher
in Mittelasien überhaupt zu suchen?«, fragte ich
George. Es ging wahrscheinlich um die Verbesserung der Rasse dort. Er wusste es aber auch nicht so
genau. Wir hatten beide keine Ahnung von Zootech-
nik. Ich studierte Dramaturgie, George Festigkeits-
lehre.

Am nächsten Tag waren wir am Güterbahnhof.
Die Tiere waren bereits verladen. Es gab ein langes
Hin und Her mit den Papieren, aber endlich hatten
wir alles geregelt. Der Transport bestand aus drei
Waggons für das Vieh und einem vierten für das Heu
zum Füttern. Was wir selbst essen sollten, stand
noch nicht fest. Der Güterzug war riesig lang und
mit allem möglichen Zeug beladen. Vor uns eine offene Plattform mit Langholz, hinter uns eine offene
Plattform mit einer Unzahl von Blechkannen. Sie
wurden ebenfalls von jemandem begleitet, der sogar
eine Schirmmütze und eine Dienstwaffe trug. Der
Mann hieß Aram und schien glücklicherweise ein

lustiger Kerl zu sein. Immerhin mussten wir die nächsten drei Wochen in seiner Gesellschaft verbringen.

Ich und George beschlossen, die erste Nacht bei unseren Tieren zu bleiben, als Training. Die Geschichte gefiel mir immer weniger. So schnell wie die schissen, musste man mindestens zweimal am Tag alle drei Waggons sauber machen. Dazu noch die Pflege, Tränke und Fütterung. Verzweifelt saß ich allein am nächtlichen Güterbahnhof. Aram schlief, und George war zum Spätverkauf gegangen. Mein Gott! Worauf hatte ich mich da eingelassen.

In der Nacht kam George zurück und erzählte: Er hätte auch bemerkt, dass wir für diese Reise unbedingt mehr Arbeitskräfte bräuchten. Am Bahnhof in einer Schlange vor dem Klo sei er am Eingang stehen geblieben, um eine Dame vorbeizulassen. Mit dem erfahrenen Auge des Weltmanns hatte George sofort am Äußeren der Frau erkannt, dass sie zu den niedrigsten Gesellschaftskreisen gehörte, zu den Ausgestoßenen, Alkoholikern und Pennern. Die ärmliche Kleidung und das waschblaue Gesicht der Dame hatten ihn sofort dazu bewegt, sie auf ein alkoholisches Erfrischungsgetränk einzuladen. Sie hieß Daima, und trotz ihrer unglücklichen Lage machte sie einen guten Eindruck auf ihn. Lebhaft und freundlich strahlten ihre grauen Augen Reste der früheren Schönheit aus. Und das Wichtigste, sie war vom Dorf und hatte Ahnung von Landwirtschaft. Mein schlauer Freund hatte sie überredet, mitzufahren. Das war nicht schwer gewesen. In Riga hielt Daima nichts. Sie hatte weder Familie noch Arbeit oder sonstige gesellschaftliche Verpflichtungen. Außerdem hatte sie noch nie in ihrem Leben Lettland verlassen. »Sie packt jetzt ihre Sachen und ist schnell bei uns«, versprach George.

Bis zum letzten Augenblick hatte ich nicht geglaubt, dass sie käme. Doch kurz vor sechs Uhr stand eine Frau auf dem Bahnsteig. Sie hielt einen Papierkorb mit ihren Sachen in der Hand und lächelte uns zahnlos an. Der Zug fuhr los. Vom ersten Tag unserer Reise an zeigte sich Daima von ihrer besten Seite. Selbstbewusst stand sie frühmorgens auf und kümmerte sich den ganzen Tag um die Rinder. Zu unserem Aufgabenbereich zählte die Beschaffung von Proviant und Wasser sowie die Gestaltung des Abendprogramms.

Je weiter wir uns von Lettland entfernten, umso komplizierter wurden die Lebensmittelbeschaffungsmaßnahmen. Die Weißrussen wollten uns nichts verkaufen, wir standen am Rande der Hungersnot. Unserem Nachbarn Aram ging es im Gegensatz zu uns ganz ausgezeichnet. Immer etwas aufgeregt, hatte er sich zwischen den Blechkannen eingenistet und sang armenische Lieder. Nachts verschwand er oft für eine Weile, wenn der Zug mal wieder stand, und kam erst zwei, drei Stunden später wieder. Einmal untersuchten wir in seiner Abwesenheit den Inhalt der Blechkannen. Die Flüssigkeit, die sie enthielten, war zweifelsohne Spiritus. Denaturiert nach altrussischem Rezept. Als Aram zurückkam, schlossen wir mit ihm einen Pakt. Entweder wir alle oder gar keiner, sagten wir ihm, und er hatte nichts dagegen. Das war unsere Rettung, denn für den Spiritus konnte man alles bekommen. Weißrussland, Ukraine, die Landschaften rasten an uns vorbei und lösten sich am Horizont auf. Wir saßen oft auf Arams Plattform und tranken mit ihm zusammen aus einer Blechtasse. Je mehr wir tranken, desto schneller fuhr der Zug.

Am Ende der ersten Woche kamen wir in ein Berggebiet und fuhren langsamer. Unsere Reiseroute führte uns durch ein Tal in der Nähe des Berges Ararat, genau zwischen Armenien und Aserbaidschan. Der Zug bewegte sich kaum noch, wir saßen mit Aram auf der Plattform und tranken Spiritus mit Wasser. Die Sonne schien, um uns herum weideten Ziegen, ein aserbaidschanischer Hirtenjunge hütete die Herde. Daima trug das Heu zu den Rindern.

Plötzlich brach in dieser Idylle ein nationalistischer Konflikt aus. Der junge Hirte erblickte Aram und schrie: »Armenien-Arschficker, Armenien-Arschficker!«

»Aserbaidschaner-Schwanzlutscher!«, rief der angetrunkene Aram zurück.

Dann flog der erste Stein. Der zweite traf die Blechtasse, die ich in der Hand hielt, der dritte streifte Arams Kopf. Er stand auf und griff sich seine Dienstwaffe.

»Aserbaidschaner! Sei bereit zu sterben!«, schrie er und schoss in den Himmel.

George und ich hängten uns an seine Hand. Wir entwaffneten den armenischen Patrioten und versteckten die Pistole an einem sicheren Ort. Unsere Rinder spielten verrückt.

Am nächsten Tag erreichte der Zug Baku. Hier wurden die Waggons auf eine Fähre umgeladen. Der ausgeschlafene Aram stieg aus und ging entschlossen zum Bahnhofsaufseher.

»Sag mir, mein Freund, bist du Aserbaidschaner?«, fragte ihn Aram mit pathetischer Stimme.

»Ja, ich bin Aserbaidschaner«, antwortete der Bahnhofsaufseher. »Deine Stunde ist gekommen«, rief Aram aus und knallte dem friedlichen Beamten eine.

Darauf wurde er von mehreren Bahnhofsange-
stellten anständig zusammengeschlagen.

Die Steppen von Kasachstan konnten einen richtig
verrückt machen. Ob Tag oder Nacht, auf beiden Seiten der Geleise eine leblose Leere, so weit das Auge
reichte. Nur die Zieselmäuse versammelten sich entlang des Bahndamms und winkten uns mit ihren kurzen Pfötchen hinterher. Das Heu war fast aufge-
braucht, und auch wir begannen wieder zu hungern.
Es schien, als wäre alles in dieser Gegend einschließ-
lich der Lebensmittel vergiftet. An einem Bahnhof
gelang es uns, eine Kiste Bier zu kaufen. Die Flaschen warfen wir unausgetrunken nach und nach
weg. Sie waren mindestens zwei Jahre überlagert. Am
nächsten Haltepunkt war es eine Kiste mit Melonen.
Daraus entwickelte sich eine Durchfallepidemie, die
sich erstaunlicherweise von uns auf die Rinder über-
trug. Selbst Daima wollte sich krankmelden. Nur
Aram blieb wegen seines Alkoholkonsums gegen
alle Bakterien der Welt immun. Er hänselte uns und
nannte uns »Scheißhirten auf Reisen«.

Mein Freund George dachte sich laufend neue
Geschäftsideen aus, die unsere Überlebenschancen
erhöhen sollten. Sein Versuch, ein Rind zu schlachten, schlug entsetzlich fehl. Ein weiterer Versuch, das

schon halb tote Rind an Einheimische zu verscheuern, scheiterte ebenso. Die Kasachen waren nun
wirklich ganz anders als wir. Sie tranken nicht, aßen
nicht und sahen einem beim Reden nie in die Augen.
Die Zieselmäuse ließen sich hier nicht fangen, und
das Wasser ist knapp.

Irgendwo mitten in Kopet-Dagh, zwischen Afghanistan und dem Iran, blieben wir stehen. Selbst die
Sonne sah dort anders aus, viel zu groß und viel zu
rot. O du meine Heimat, unendliches Land! Noch
fünfhundert Kilometer bis Samarkand, unserer Endstation. George fragte den Lokomotivführer, aber
nicht einmal der wusste, wann wir weiterfahren würden. Irgendetwas Wichtiges fehlte dem Zug. Hoffentlich nicht die Pferde.

Abends kamen die Einheimischen und brachten
uns Brote. Wir machten ein großes Lagerfeuer in
der Wüste. Sie wollten irgendwas von uns, aber
nicht die Rinder, das stand bald fest. Schade, dass
sie unsere Sprache nicht verstanden. Langsam dachte ich schon, wir hätten das falsche Gleis erwischt
und wären in Afghanistan gelandet. Alles verwischte
sich in dieser Wüste, auch die Grenze. Heureka! Sie
wollten uns Daima abkaufen. Ein alter Mann erzählte uns bildhübsche Geschichten wie aus Tau-
sendundeiner Nacht: Er hätte drei Söhne, und diese

drei Söhne wollten unsere Daima haben. Dafür boten sie uns an… In Georges Augen sah ich, dass er alles und jeden, sich selbst eingeschlossen, verkaufen würde, wenn man ihm dafür einen anständigen Preis machte.

Aber dann konnte unser Zug endlich weiterfahren, und wir verließen Afghanistan, sodass die drei Söhne weiter ohne Daima auskommen mussten. Am nächsten Morgen würden wir Samarkand erreichen und in zwei Tagen wieder zu Hause sein, im mitteleuropäischen Raum. Aber George konnte nicht einschlafen. Er träumte von einem lettischen Frauentransport nach Mittelasien, zur Verbesserung der Rasse dort. Einmal hin und zurück, ausgesorgt für den Rest des Lebens an jedem beliebigen Ort unseres unendlichen Landes. Wir tranken ein letztes Mal aus Arams Tasse, es war eine lange Reise gewesen: Zwei Fünfzigliterkannen waren inzwischen leer.

Am Morgen bei der Rinderübergabe stand ich plötzlich allein da. George und Daima hatten sich zum Einkaufen nach Samarkand auf den Basar verdrückt. Die Rinder konnten nicht mehr richtig laufen, weil sie zu lange unterwegs gewesen waren, deswegen schubste ich sie zusammen mit zwei Usbeken aus den Waggons, eins nach dem anderen. Die Usbeken schimpften und wollten nichts unterschreiben. Doch später kam endlich die Frau mit unseren Namen auf einer Liste und unserem Geld. Alles lief wieder nach Plan. Alle Rinder lebten, und kerngesund hatten sie auch früher nicht ausgesehen.

Die Hitze hatte schon nachgelassen, als George endlich vom Basar zurückkam. Allein. Aufgeregt und etwas angetrunken erzählte er mir folgende Geschichte:

In der Stadt war es sehr heiß gewesen, und sie waren in eine Teestube gegangen. Beim Teetrinken lernte George den Besitzer kennen. Dieser erzählte ihm von einem Bruder, einem wohlhabenden Zahntechniker, der ein großes Haus mit Garten, zwei Frauen und fünf Kindern besaß. Die eine Frau war fürs Haus zuständig, die andere fürs Bett, und für den Garten suchte er noch jemanden. Der Teestubenbesitzer meinte, Georges Begleiterin wäre ideal für den Bruder, und er würde ihm sofort 500 Rubel zahlen, wenn er sie hier ließe. Dabei brauchte George nichts tun, nur einfach zu verschwinden, wenn Daima das nächste Mal aufs Klo ginge...

George drückte mir zweihundert Rubel in die Hand.

»Dein Anteil«, meinte er.

Natürlich beschimpfte ich ihn, das war eine echte Sauerei, denn wer wusste schon, was sie mit der

Frau anstellen würden. Aber ich nahm das Geld. Sie war ja nicht meine Frau. Am nächsten Tag landete ich spätabends in Moskau, braun gebrannt und die Taschen voller Geld. Die Olympischen Spiele waren zu Ende, und das Leben nahm wieder seinen gewohnten Gang. George flog einen Tag später als ich nach Riga zurück, mit mehreren orientalischen Mänteln und Kupferschmuck im Gepäck. Zwei Jahre sah und hörte ich nichts von ihm.

Dann, eines Tages, besuchte George Moskau, und wir trafen uns bei »Jaltarang«, dem damals einzigen Inder, wo er mir die Geschichte zu Ende erzählte. Eine Zeit lang hatte er schlecht schlafen können wegen Daima. Gewissensbisse verursachen nun einmal Schlafstörungen. Im Herbst war er wieder in Samarkand gewesen und ihr zufällig auf dem Markt begegnet. Er hätte Daima gar nicht erkannt, wenn sie ihm nicht zugerufen hätte: »George, mein lieber George!« Sie umarmte ihn und küsste ihm beide Wangen. Sie lachte und strahlte. Ihre Arme waren mit goldenen Armbändern geschmückt, und sie hatte neue Zähne – auch aus Gold. Sie lud George zum Essen ein und berichtete ihm, was nach seinem Verschwinden passiert war. Die Geschichte mit dem Bruder und dem Garten stimmte! Mehr noch, nach kurzer Zeit hatte sich der Zahntechniker in Daima verliebt und sie in sein Kalifat aufgenommen. Er machte sie zu seiner Lieblingsfrau und behängte sie von vorne und hinten mit Gold. George sei ihr Schutzengel, meinte sie, ihm allein hätte sie all das zu verdanken. Und George, der gerade wieder völlig pleite war, hörte sprachlos zu. Nach dem Essen gab Daima ihm 100 Rubel zum Andenken an ihre Freundschaft und wünschte ihm viel Glück. George betrank sich an diesem Abend und verpasste den Rückflug.

Das Leben im Park

1982 fand in meinem Land ein Machtwechsel statt.
Der neue Generalsekretär erklärte den Kampf gegen
das Schmarotzertum zum Programm und brachte
damit in mein ohnehin nicht leichtes Leben und in
das Leben meiner Freunde noch mehr Schwierigkeiten. Wir waren jung und steckten voller Ideen,
richtig zu arbeiten hatte niemand Lust. Aufgewach-
sen in einer sozialistischen Gesellschaft, wo jeder,
der keine politischen Ansprüche hatte und das Sys-
tem nicht bekämpfen wollte, auch ohne Arbeit immer auf seine Kosten gekommen war, konnten wir
einer achtstündigen täglichen Maloche nichts abge-
winnen.

Doch die Zeiten änderten sich. Es wurden Maßnahmen ergriffen. In Moskau kam es sogar zu Razzien: Uniformierte und zum Teil selbst als Schmarot-
zer getarnte Polizisten klapperten tagsüber die Kinos
ab, hielten in Saunas und Bierbars nach Verdächtigen

Ausschau und stellten überall den dort angetroffenen Menschen dieselbe blöde Frage: »Wie ist der Name deines Chefs?« Wenn man nicht zufällig einen Schwerbehindertenausweis dabeihatte, in dem stand, dass der Inhaber auf gar keinen Fall irgendetwas anderes tun darf, als in einem Kinosaal zu sitzen, war die Bestrafung verheerend. Kurzum: Das Volk litt, und wir litten mit unserem Volk mit.

Die neue politische Strömung bewirkte, dass viele meiner Zeitgenossen anfingen, sich brennend für Geographie zu interessieren. Mein Freund Georg kaufte sich sogar einen ausklappbaren Atlas. Zu Hause faltete er ihn auf und war völlig überwältigt von der Weite und Breite seines Landes. Einmal saßen wir bei ihm in der Küche auf dem Fußboden und kifften. Georg teilte mir stolz seine neuesten Entdeckungen mit. Er zeigte mir mit dem Finger viele große, rote Flecken auf der Landkarte, die in keiner Weise beschriftet waren.

»Weißt du, was das ist?«, fragte er mich aufgeregt, »das ist Mutter Erde, unser aller Mutter. Ich ziehe aufs Land, dort kriegen sie mich nicht wegen Schmarotzerei dran.«

Ich widersprach und erinnerte ihn daran, dass man gerade auf dem Land jeden Tag ackern musste.

»Du kennst doch das Bild ›Die unterdrückten

Bauern verbrennen das Haus ihres Gutsbesitzers‹ von Michail Krawtschuk.«

Jeder kannte dieses Bild, es war auf dem Umschlag des Lehrbuchs »Sowjetische Literatur« der sechsten Klasse Grundschule abgedruckt. Georg war jedoch von seiner eigenen Idee so überwältigt, dass er mir gar nicht zuhörte.

»Die Kommunisten spinnen. Die tun die ganze Zeit nichts anderes, als uns einfache Menschen zu verwirren, damit wir endgültig vergessen, wo wir herkommen. Diese roten Flecken sind unsere Zukunft, ich ziehe aufs Land.«

Ich glaubte ihm nicht, doch wenig später war er wirklich weg. Ich blieb in der Stadt und beschaffte mir einen Job als Gärtner in einem Erholungspark. Am Anfang war alles easy. Genau genommen sollte ich gar nichts tun, nur im Park sitzen und aufpassen, dass alle Bäume da waren. Doch Arbeit ist Arbeit. Blitzschnell kamen die ersten Schwierigkeiten. In diesem wie auch in jedem anderen Park gab es eine eigene Clique, die aus den Jugendlichen bestand, die drum herum wohnten. Ein Mädchen aus der Clique verliebte sich in mich und kam oft zu meiner Bank. Wir sprachen über das Leben, und ich habe dabei eine sehr wichtige Entdeckung gemacht. Ich habe

nämlich eine besondere Sorte von Menschen kennen gelernt, die ich noch immer, nach zwanzig Jahren, als »Mädchen aus dem Park« bezeichne. Die eigentliche Schwierigkeit war, dass der Anführer dieser Clique hoffnungslos in das Mädchen verliebt
war, und das schon seit langer Zeit. Nun kam auch
er an meine Parkbank, manchmal mit einem großen
Stein in der Hand. Er drohte mir, dass er notfalls im
Stande wäre, uns beide zu töten. Diese Beziehungs-
kiste und diese abstoßenden Gespräche, die fast zu
meinem Alltag wurden, wirkten auf mich sehr depri-
mierend.

Dazu kam noch ein anderes Problem: Nach einem
Monat musste ich feststellen, dass der Park, in dem
ich als Gärtner tätig war, zu einer geheimen Waffen-
fabrik gehörte. Sie produzierte nicht nur Kinderwa-
gen und Fahrräder, sondern auch U-Boote. Obwohl
der Park als fünfter Bereich dieser Fabrik so gut wie
keine Sicherheitsstufe hatte, galt für den Betrieb
selbst Sicherheitsstufe drei. Das hieß für mich im
Klartext, dass ich mein Gehalt aus der Buchhaltung
nicht selbst abholen konnte. Der Hauptgärtner musste es mir rausbringen, aber dessen Stelle war nicht
besetzt. Telefonieren durfte ich mit der Buchhaltung
auch nicht, nur mit dem Leiter der Personalabteilung. Er hätte mich weitervermitteln können, wollte

aber nicht. Deswegen bekam ich nur einen Abrechnungszettel per Post, aber kein Geld.

Dieser Job machte mich unglücklich, und ich überlegte schon, ob ich zu Georg aufs Land ziehen sollte. Die roten Flecken auf der Karte wurden mir immer sympathischer. Ich wusste jedoch nicht genau, wo er war. Und dann kam der 19. Juli, mein Geburtstag. Es war sehr heiß in der Stadt, ich lief in einer miserablen Laune durch den Park und mit der festen Absicht, irgendwas an meinem Arbeitsplatz zu klauen. Aber was kann man in einem Park stehlen? Die Bänke? Das Gras? Ich konzentrierte mich auf die Geräusche. Im Park war ständig Musik zu hören. Sie kam wahrscheinlich aus einem Lautsprecher. Den könnte man mit Glück verscheuern, und ich wusste sogar schon, an wen. Nach zwei Stunden Suche hatte ich die Musikquelle geortet. Das Ding hing an einer Säule in zehn Metern Höhe und war mit Stacheldraht befestigt. Ich verfluchte den Park und jeden einzelnen Baum.

Abends, zu Hause, wartete eine Glückwunschpostkarte auf mich. Sie war von Georg. Auf der Postkarte lächelte mir eine scheußliche Fratze mit ausgestreckter Zunge zu. Darunter stand: »Der Laden brummt, die Weiber stöhnen. George.« Und die Adresse: Dorf Borodino, Gebiet Jaroslawski, Bezirk Sotino. Die ganze Nacht konnte ich nicht ruhig schlafen. Die Weiber, die Georg erwähnt hatte, waren der letzte Anstoß. Sie lockten mich aufs Land. Schluss mit der Kleinmütigkeit.

Um sieben Uhr morgens stand ich auf, lief zum Park, kletterte die zehn Meter hohe Säule hoch und knotete mit bloßen Händen den Lautsprecher los. Zwei Stunden später tauschte ich ihn bei einem Bekannten, der Musiker war, gegen zwei Stangen Zigaretten und etwas Proviant. Dann fuhr ich mit dem N 690er Bus in die Vorstadt, um von dort mit dem erstbesten Lkw in Richtung Dorf Borodino zu verschwinden. Tschüss, Moskau, ich genieße das Dorfleben.

Als erfahrener Tramper mied ich kleine Autos. Der erste große Laster, der Richtung Jaroslaw fuhr, nahm mich mit. An dem Kraftfahrer war nur die Badehose echt, alle anderen Kleidungsstücke – auf seine Haut tätowiert. Zufällig kam er von dem geheimen Betrieb, in dessen Park ich als Gärtner tätig gewesen war. Vielleicht hatte er sogar irgendwelche U-Bootteile hinten drauf. Wir unterhielten uns wie zwei Kollegen über eine neuerliche Eskalation des Kalten Krieges. Immerhin gehörten wir derselben Branche »Waffenindustrie« an.

Abends erreichte ich Sotino. Hätte es einen Wettbewerb um die kleinste Kleinstadt Russlands gegeben, hätte Sotino bestimmt den ersten Platz gewonnen: Es war nicht klein, es war lächerlich. Ratlos stand ich auf dem Leninplatz unter dem Lenindenkmal zwischen der Klinik und der Schule und suchte einen noch nicht schlafenden Bewohner, der mir den Weg nach Borodino zeigen konnte.

Die Stadt war bereits abends um acht wie ausgestorben. Alle Häuser dunkel, die Straßen leer. Ich wurde unruhig, denn ich wollte mich nicht mit wildfremden Bären und Wölfen anlegen – immerhin gab es rund um Sotino große Wälder. Ich sah mich nach einer möglichen Bleibe für die Nacht um. Zwischen der Klinik und der Schule entschied ich mich für die Letztere, denn es waren gerade Ferien und daher keine Schüler zu erwarten. Ich kletterte über den Zaun und fand einen passenden Platz in einem Sportraum im ersten Stock. Besser konnte es nicht kommen.

Am nächsten Morgen, als ich ausgeschlafen wieder auf dem Leninplatz auftauchte, sah ich eine Menge Leute, die vor einem Schnapsladen, den ich in der Dunkelheit übersehen hatte, Schlange standen. Der letzte Mann in der Schlange, den ich nach dem Weg nach Borodino fragte, kannte sogar meinen

Freund Georg. »Ja, der Kleine, mit Brille und langen Haaren, der lebt zwei Kilometer von hier entfernt. Du musst nicht durch den Wald. Geh einfach immer die Gleise entlang, das erste Haus ist das von deinem Freund.«

Von einem anderen in der Schlange erfuhr ich dann das grausame Schicksal des Dorfes Borodino, das nun nur durch die Anwesenheit von Georg und ein paar alten Witwen überhaupt noch existierte. Früher war es ein ganz normales Dorf mit zwei Dutzend Häusern gewesen. Die Frauen hatten Milchwirtschaft betrieben, die Männer Pilze gesammelt und Schnaps gebrannt. Bis eines Tages eine Eisenbahnstrecke durch Borodino verlegt wurde. Die Gleise brachten große Unruhe mit sich und stürzten das Dorf ins Verderben. Zuerst holte sich die Bahn die Männer. Einer nach dem anderen gingen sie besoffen an die Gleise, schliefen ein und wurden vom Zug überfahren. Danach lockten die fahrenden Züge auch noch fast alle Kühe in den Tod. Innerhalb von drei Jahren waren die meisten Frauen des Dorfes Witwen geworden. Die übrig gebliebenen Kühe gaben keine Milch mehr und wurden geschlachtet. Viele Leute zogen weg. Der letzte Mann des Dorfes litt unter der Wahnvorstellung, dass der Zug auch ihn eines Tages erwischen würde. Er zündete im Suff sein Haus an und kam in den Flammen um. Als Georg dort auf-kreuzte, war Borodino quasi schon nicht mehr vor-handen. Nun ging es plötzlich doch wieder aufwärts.

»Der Junge hat echt was drauf«, sagten die Männer in der Schlange. Ich rauchte mit ihnen eine Schach-tel Zigaretten aus meinen Reisevorräten und machte mich auf den Weg

Selbst zwischen den Gleisen sah man die Frucht-barkeit dieses Bodens, hier wuchsen im Gras jede Menge Butterpilze und Pfifferlinge. Bald kam ich an ein allein stehendes Haus, das allem Anschein nach Georg gehörte. Überall im Hof wuchs Unkraut, keine Spur von Gartenarbeit. Die Tür war offen, mein Freund schlief. Auf dem Fußboden standen leere und halb volle Schnapsflaschen. Sogar Jim Morrison auf einem Poster sah so aus, als käme er geradewegs aus der Schnapsschlange in Sotino. Die Einrichtung des Raumes war nicht gerade dörflich: In den Ecken stapelten sich Kisten verschiedener Größen, und auf ihnen standen: ein Videorekorder, zwei kleine und ein großer Fernseher, zwei Armee-funkgeräte, ein Karton mit Trockenfisch, ein Karton mit Schokolade und ein riesiger Stapel Weihnachts-kalender. Als ich meinen Freund weckte, wunderte er sich keine Sekunde über mein Erscheinen, so als hätten wir uns erst gestern verabschiedet.

»Gut, dass du da bist«, sagte er, »bald kommen auch noch andere, es wird eine heiße Nacht werden.« Georg nahm einen Schluck aus einer Flasche und berichtete mir, wie er sich im Dorf berühmt gemacht hatte. Ihm war mit seiner Großstadterfahrung die Idee gekommen, wie man die Eisenbahnstrecke für sich nutzen konnte, und dadurch hatte er sie in den Augen der Dorfbevölkerung entmystifiziert. Nun zogen Leute nach Borodino, statt den Ort zu verlassen. Eine neue Wirtschaft war geboren – die Zugwirtschaft. Eigentlich war die Idee einer Zugwirtschaft nichts Neues. Wir hatten alle den DDR-Film gesehen, in dem deutsche Indianer laufend fahrende Züge überfallen und berauben. Neu bei Georg war, dass er die Züge nicht überfiel, sondern den Zugführern einen neuen Service bot: Die Zugführer hatten während der Fahrt Alkoholverbot, und Georg war auf die Idee gekommen, in dem verlassenen Dorf die Destillierapparaturen wieder in Betrieb zu nehmen. Den selbst gebrannten Schnaps tauschte er dann bei der Zugführerbrigade gegen wertvolle Gegenstände ein. Seine Gewinne waren enorm. Wir saßen auf den Kisten, tranken seinen Schnaps, und ich erfuhr Schluck für Schluck, wie reich mein Freund geworden war und was er nun so alles besaß.

»Die Erde bringt es, mein Freund, das Land und

der freie Handel, in Moskau kannst du davon nur träumen.«

Ich merkte, wie sich der Mann verändert hatte. Er war ein richtiger Bauer geworden, was für mich einem Spießer gleichkam. Georg, mit all seinen Fernsehern, tat mir irgendwie Leid. Inzwischen waren noch zwei Männer aus dem Dorf gekommen, die sich zu uns setzten. Ich erzählte meine letzten Erlebnisse in der Großstadt, und sie hörten zu. Plötzlich ertönte aus dem Wald ein grässlicher Schrei. Mir standen die Haare zu Berge. Noch nie in meinem Leben hatte ich etwas derart Entsetzliches gehört. Abrupt wurde es still.

»Der Ziegenmelker weint«, sagte Georg zu mir schuldbewusst. »Entschuldige, ich hätte es dir früher sagen sollen. Okay, Männer, heute kein Einsatz. Heute feiern wir.«

Georg wandte sich wieder mir zu: »Manchmal lacht der Vogel auch wie der Satan, das macht einen reich, aber wenn er weint, dann stirbt jemand.«

»Wer soll denn jetzt noch hier sterben?«, fragte ich ihn.

»Es muss nicht unbedingt hier sein, es kann auch in Sotino einer sterben«, antwortete Georg verlegen und guckte zu Boden.

Langsam bekam ich Angst vor dem Dorfleben mit

diesen unheimlichen Geschichten, der völligen Abwesenheit der staatlichen Ordnung und der mysti-
schen Abhängigkeit von einem Ziegenmelker. Auch
schien mein Freund seinen neuen Reichtum dort gar
nicht genießen zu können, er hätte höchstens seine
Weihnachtskalenderkollektion dem Ziegenmelker
zum Opfer darbringen können, dessen Kult er verfallen war. Überall sah ich Symptome von Verblö-
dung. Frauen gab es auch nicht, und die Männer
hatten sich wie unter Zwang die halbe Nacht lang
bloß besoffen. Ich fühlte mich äußerst unwohl. Am
nächsten Tag verließ ich meinen Freund und fuhr
zurück nach Moskau zu meinem Park. Nicht jeden
macht das Landleben glücklich.

★★★

Doch als ehrenamtlicher Gärtner wollte ich auch
nicht mehr länger schuften. Mal sehen, was passiert,
dachte ich und machte Urlaub. In einer Bibliothek
für Kinder und Jugendliche stahl ich einen alten
Jahrgang der Zeitung »Die Hupe« und schloss mich
in meinem Zimmer ein. Nach drei Tagen klingelte
das Telefon. Es war der Leiter der Personalabteilung.
Er wunderte sich, dass ich nicht mehr zur Arbeit
kam. »Ohne Geld und ohne jeglichen Sinn im Park

rumzuhängen, das ist keine ehrenvolle Beschäftigung für mich«, meinte ich. Der Leiter der Personalabteilung bestellte mich zu sich ins Büro und versprach, dass meine Tätigkeit im Park fortan ganz anders gestaltet sein würde. Viel Geld und große Aufgaben würden auf mich warten.

Inzwischen hatte ich bereits von den Humor- und Satireseiten der Zeitung »Die Hupe« die Nase voll. Die reichen Geldsäcke mit Zigarren im Mund und Pinochet-ähnliche Gestalten suchten mich schon im Schlaf heim und redeten mit mir in dem typischen Ton der »Hupe« – über das Elend und den Unfug in der kapitalistischen Welt. Ich überlegte nicht lange und ging wieder in den Park.

Während meiner Abwesenheit hat sich dort einiges verändert. Der Direktion des Betriebes war aufgefallen, was für eine wichtige Rolle der Park im Leben ihrer Arbeiter spielte. Jeden Tag gingen sie durch den Park zur Arbeit und abends den gleichen Weg nach Hause zurück. Die grüne Landschaft brachte die Arbeiter oft dazu, die eine oder andere Flasche unter dem einen oder anderen Baum zu leeren und anschließend hinter den Büschen ein Nickerchen zu machen. Aus diesem Grund erschienen viele Mitarbeiter des Betriebes morgens nicht rechtzeitig zur Arbeit und kamen abends nicht mehr nach Hause.

Das verminderte die Produktion von U-Booten, die das Land brauchte, und zerstörte außerdem das gesunde Familienleben, welches das Land forderte.

In diesem Dilemma kam der Direktion der Gärtner gerade recht, und zwar als zentrale Person, die dem Park seine ursprüngliche gesellschaftlich-erzieherische Funktion wiedergeben sollte. Ganz im Sinne der Bekämpfung des Alkoholismus in der Arbeiterklasse wurde für den Park mit Hilfe der Moskauer Philharmoniker ein kulturelles Programm entworfen, das den Namen »Sommertheater« bekam. Die Moskauer Theater und Musikschulen funktionierten wie alle anderen Bildungsstätten auch nach den Regeln der Planwirtschaft. Jedes Jahr produzierten sie allein in Moskau Hunderte von Schauspielern und Musikern – viel mehr als die Stadt beschäftigen konnte. Die Schlauen erkämpften für sich ein lauschiges Plätzchen beim Fernsehen oder in den großen Kulturhäusern, der Rest ließ sich in der Moskauer Philharmonie nieder, einer Art Abflussbecken der russischen Kultur. Mit den Jahren wurde diese Organisation immer mächtiger und konnte zuletzt aus eigener Kraft eine Erster-Mai-Parade auf dem Roten Platz veranstalten, inklusive des jubelnden Publikums und des gesamten Politbüros auf der Tribüne.

Für ein Sommertheater waren die Fachkräfte der Philharmonie natürlich sofort zu haben, schließlich bekamen sie für ihre Auftritte eine zusätzliche Gage. In der Nähe des Fußwegs, der quer durch den Park führte, wurde eine Bühne in Form einer Kurmuschel aufgebaut und Bänke davor aufgestellt. Meine Aufgabe als Gärtner bestand nun darin, die Künstler dreimal in der Woche zu empfangen. Außerdem musste ich bei den Veranstaltungen dabei sein, um Ärger aller Art zu vermeiden und die Entertainer anschließend auszuzahlen. Ich bekam ein Megaphon, eine Liste mit den Namen der Mitwirkenden und jede Woche 75 Rubel auf die Hand, wovon ein Drittel meine eigene Gage war.

Die erste Nummer, die uns die Philharmonie anbot, bestand aus fünfzigjährigen Zwillingen, die Klarinette spielten. Unter anderen Umständen wäre es vielleicht eine nette Unterhaltungsshow geworden, aber nicht in unserem Park. Die Zwillinge kamen mit dem Auto an und wirkten schon ziemlich angetrunken. Zu diesem Zeitpunkt hatte die Arbeiterklasse als Publikum bereits unsere Muschel im Park entdeckt und sie zu ihrer Stammkneipe auserkoren. Als die Zwillinge ihre Klarinetten auspackten, machte es sich gerade die Rugbymannschaft des Betriebes auf den Bänken gemütlich. Sie feierten ihren Sieg über eine andere Rugbymannschaft eines anderen Betriebes. Die Zwillinge fragten mich, ob es in der Nähe ein Bierzelt gäbe und ob ich ihre Gage dabeihätte. Nachdem ich das bejaht hatte, nahmen sie ihre Instrumente und bliesen kräftig rein. Bereits nach der ersten Serenade meuterte die halbe Mannschaft und drohte mit Prügeln, sollte noch ein einziger Pups aus den Röhren kommen. Die Kunst traf auf das Volk und ging gnadenlos unter. Um weitere Konflikte zu vermeiden, ließ ich die Musiker ihre Gagenquittung unterschreiben und ging mit ihnen zusammen ein Bierchen trinken. Die beiden erzählten mir, dass sie ihr Geld zumeist auf Begräbnissen und Hochzeiten verdienten und dabei skrupellos von der Philharmonie ausgebeutet würden. Sie mussten nämlich die Hälfte der Gage als Vermittlungsgebühr abgeben, obwohl sie sich die Aufträge selbst verschafften.

Beim nächsten Mal trat eine Rezitatorin auf, eine Frau mittleren Alters, die meiner Klassenlehrerin aus der Schule merkwürdig ähnlich sah. Sie trug Gedichte vor, ein sehr erlesenes Programm, alles aus dem silbernen Zeitalter der russischen Poesie. Im Gegensatz zu den Kollegen mit der Klarinette nahm sie ihre Arbeit absolut ernst. Sie hatte ein Kostüm und einen Schminkkasten dabei und fragte mich nach einer Umkleidekabine. Auf mich machte sie einen rührenden Eindruck. Die Rugbymannschaft vom Tag zuvor hatte die Bänke noch immer nicht verlassen. Ich befürchtete, dass es zu Mord und Totschlag kommen könnte, wenn die pure Kunst zum zweiten Mal auf das Volk stürzen würde. Wie sollte ich diese Frau allein verteidigen? Sie war wild entschlossen, ihr gesamtes Repertoire durchzuziehen, und hatte sich bereits mangels Umkleidekabinen hinter einem Busch umgezogen. Sie trat in einem schönen Abendkleid mit vielen blitzenden Sternchen hervor.

»Ich bin bereit«, sagte sie, als ob sie mich beruhigen wollte. »Wo ist nun mein Publikum?«

Schweigend zeigte ich auf die Rugbymannschaft, die sich bereits im Delirium befand, auf drei Omas, die geduldig auf die leeren Flaschen warteten, und auf all die anderen, die sich vermutlich hinter den Büschen befanden. Überall konnte man in unserem Park Zuschauer entdecken. Die Frau sah sich um, nahm mir das Megaphon aus der Hand, stellte sich in die Mitte des Fußwegs und fing an zu lesen:

Ich danke Ihnen – Herz und Hand! – dafür,
Dass Sie mich unwissend in Ihnen tragen:
Für meine nächtlich stille Tür,

Für seltene Treffen in verschiedenen Parkanlagen
Für unsre Nichtspaziergänge im Mondrevier,
Für unsre Köpfe, nicht von Sonne beschienen,
Dafür, dass Sie so geil sind nicht nach mir,
Dafür, dass ich so geil bin, nicht nach Ihnen ...

Die hohe Kunst schien zu wirken. Auf einmal wurde es dunkel, der Himmel bedeckte sich mit Wolken, die ersten Tropfen klatschten auf die Blätter. Immer mehr Leute stürzten aus den Büschen raus auf den Fußweg, die Mitglieder der Rugbymannschaft wachten auf, übergaben ihre Flaschen freiwillig den Omas und gingen rasch nach Hause zu Frau und Kind. Der Regen fiel mit Donner und Blitz auf die Erde und vertrieb alle Menschen aus dem Park. Nur die Schauspielerin im Abendkleid mit Megaphon in der Hand und ich blieben im Regen stehen. Sie schien bei der Veranstaltung eine Menge Spaß gehabt zu haben, und ich musste sie noch auszahlen.

Die Betriebsdirektion war mit den Ergebnissen des Kulturprogramms im Park unzufrieden. Anstatt mehr Ordnung zu schaffen, brachten die Gäste nur noch mehr Unruhe in die Anlage. Wir sagten der Philharmonie also ab und wandten uns stattdessen an die wissenschaftliche Gesellschaft »Das Wissen«.

Diese Gesellschaft war gegründet worden, um das allgemeine Bildungsniveau der Bevölkerung noch weiter zu heben. Sie verfügte über Hunderte von Lektoren, die an allen möglichen Orten das Publikum in einer allgemein verständlichen Sprache über die spannendsten Probleme der Wissenschaft aufklärten. Das gefragteste Thema, das alle brennend interessierte, war zu diesem Zeitpunkt in der Sowjetunion: »Gibt es Leben auf dem Mars?« Erstaunlich, aber wahr – wie eine wissenschaftlich-populistische Fernsehsendung damals hieß: Der sowjetische Bürger interessierte sich viel mehr für das Leben auf dem Mars als für sein eigenes auf der Erde. Hier unten war schon alles mehr oder weniger klar. Aber mit dem Mars verband man noch Hoffnung.

Die zweite Frage, die alle interessierte, lautete: »Gibt es ein Leben nach dem Tod?« Das Volk sehnte sich nach einem anderen Leben, jenseits der Realität. »Gibt es ein Leben nach dem Sozialismus?«, wäre die richtige Fragestellung gewesen, aber so etwas traute sich noch keiner. Die Gesellschaft »Das Wissen« hatte alle Informationen, die vom Mars zu uns kamen, monopolisiert und verriet sie nur ansatzweise in ihrem gleichnamigen Magazin, das jeden Monat erschien. In dem Magazin versuchten die Autoren immer wieder, die brennenden Themen mit der aktuellen Problematik des Landes, also mit dem Saufen, zu verknüpfen. So bestellte denn auch die Betriebsdirektion den Lektor in die Parkanlage, um einen Vortrag über »Die Schäden des Alkohols oder: Gibt es ein Leben auf dem Mars?« zu halten.

Zu dem von mir vorher angekündigten Termin war die Estrademuschel relativ voll. Zum Bedauern des Lektors waren die meisten Zuhörer aber alte Frauen, die auch ohne seine Lektion wussten, dass Saufen schädlich ist. Der Mann war aber ein Profi und ließ sich durch nichts verunsichern. Laut seinen Informationen wurden die Kanäle auf dem Mars schon lange von anderen Zivilisationen benutzt. Diese Zivilisationen würden uns bereits seit Tausenden von Jahren beobachten, aber jeden direkten Kontakt vermeiden, weil sie viel klüger und gebildeter wären als wir und also das Saufen verabscheuten. Sie hätten uns schon längst ihre Technologien anvertraut, uns glücklich und unsterblich gemacht, wenn wir nur mit dem Saufen aufhören würden. Darauf warteten die Außerirdischen bis jetzt leider vergeblich. Der Lektor zeigte auf einen Busch, unter dem drei Männer mit einigen Flaschen Portwein saßen.

»Wegen solcher Typen halten uns die Außerirdischen noch immer nicht für reif für einen Kontakt.«

»Wie blöd«, regten sich die alten Omas auf der Bank auf.

»Viktor, schmeiß sofort die Flasche weg, wir wollen unsterblich werden«, rief eine Oma dem Buschmann zu, und alle lachten.

Viktor, der Mann mit der Flasche Portwein in der Hand, traute dem Redner nicht. Verzweifelt blickte er in seine Richtung, mal guckte er die Flasche an, dann wieder schaute er in den Himmel. Er fühlte sich einigermaßen verarscht, konnte es aber nicht richtig äußern.

Der Lektor fuhr weiter fort: Der Tod durch Alkohol sei der schrecklichste von allen, meinte er. Er hätte selbst einen Mann im Krankenhaus gesehen, der durch aktives Trinken eine Leberzirrhose bekommen hätte. Sein Blut bestünde mittlerweile zu fünfzig Prozent aus Spiritus. Alle lebenswichtigen Organe des Mannes hätten sich bereits im Sprit aufgelöst – Stück für Stück würde er jetzt seine Leber und sein Hirn herausspucken, bevor er qualvoll sterben würde. Das Schlimmste sei aber: Die Menschen, die an der Flasche hingen, würden nicht nur ihre eigene Gesundheit ruinieren, sondern auch die Hoffnung anderer Menschen töten, irgendwann einmal ein besseres Leben zu haben und vielleicht auch noch eines Tages eine andere fremde Zivilisation kennen zu lernen. So meinte jedenfalls der Lektor.

Der Mann unter dem Busch stand plötzlich auf. An seiner Haltung konnte man erkennen, dass er gerade eine wichtige Entscheidung getroffen hatte. Er holte zum Wurf aus.

»Verpiss dich mit deiner fremden Zivilisation«, schrie er.

Die leere Portweinflasche der Marke *Roter Kaukasus* drehte sich in der Luft und zerschellte am Rednerpult.

Im Laufe des Monats hatte sich das kulturelle Programm im Park langsam doch durchgesetzt. Jeden Dienstag und Freitag versammelten sich die Stammgäste vor der Theatermuschel – die Jugendbande, die Omas und die Säufer –, um sich eine neue Lektion reinzuziehen. Die Gesellschaft »Das Wissen« brachte sie um einiges weiter. Auch mich. Man teilte von der Muschel einen klitzekleinen Raum ab, der als Lagerraum für die Tonanlage diente. Ich hatte die Schlüssel dafür. Immer wenn es regnete, kamen zwei Mädchen aus dem Park zu mir und besuchten mich in dem Abstellraum. Dort versuchte ich, sie mit gerade aufgeschnappten Informationen über das Leben auf dem Mars zu verführen. Die Mädchen hörten mir mit großem Interesse zu und hielten mich für sehr gebildet. Der Beruf eines Lektors geriet mir darüber von Mal zu Mal verlockender. Man kommt viel herum, erzählt Geschichten, genießt die allgemeine Aufmerksamkeit und bekommt noch Geld obendrauf. Vielleicht sollte ich mich auch bei der Gesellschaft »Das Wissen« bewerben, überlegte ich. Doch bald war der Sommer vorbei und damit auch die Veranstaltungsreihe zu Ende.

Im Park tauchten neue Gesichter auf. Merkwürdige Gestalten, die alle schwarze Pullover mit Kapuzen trugen. Auf dem Rücken ihrer Pullover stand das Wort »Gedächtnis«. Sie versammelten sich vor dem Kulturhaus und hatten immer irgendetwas miteinander zu besprechen. Ob morgens oder abends: Sie waren stets nüchtern, und nie ging einer von ihnen alleine einfach so durch den Park spazieren. Irgendwann bestellte mich die Kulturhausdirektion zu einem Gespräch.

»Du hast es gut gemacht im Park«, sagte der Leiter des Kulturhauses zu mir. »Abgesehen von dem Lektor sind alle anderen Artisten heil aus dem Park gekommen. Wir machen ab Herbst hier in unserem Kulturhaus weiter. Eine Volksinitiative hat sich bei uns gemeldet. Sie wollen bei uns eine Veranstaltungsreihe zum Thema ›Rettung der Natur‹ oder so ähnlich organisieren. Das sind Ökologisten, die für die Reinheit der Natur und den Wiederaufbau der orthodoxen Kirche stehen, weißt du? Einige von dieser Gruppe, ›Gedächtnis‹, hast du bestimmt schon drüben im Park gesehen. Wir haben im Grunde nichts dagegen, nach Absprache mit dem Bezirksparteikomitee. Sie meinen, eine gesunde Volksinitiative könnte in unseren schwierigen Zeiten nicht schaden. Nur, wir müssen natürlich die Kontrolle behalten, damit alles anständig abläuft. Diese ›Gedächtnis‹-Leute haben einen großen Zuspruch beim Volk. Deswegen wäre dein Job folgender: Bei allen diesen Veranstaltungen dabei zu sein, ein Mikro auf der Bühne aufzustellen und alles aufzunehmen! Jedes Wort, das im Saal fällt, möchte ich gleich am nächsten Tag auf dem Tisch haben«, schärfte der Direktor mir ein und schob einen Stapel Tonbänder hin.

Die erste Veranstaltung schien harmlos zu sein. »Die unwiderstehliche Schönheit des Baikal-Sees«, hieß sie laut Programm. Eine Stunde vor Beginn war das Kulturhaus voll von Menschen in Kapuzen und anderen Neugierigen. Eine lange, schwarze Limousine hielt vor dem Haus, und ein Priester der orthodoxen Kirche mit einem langen, weißen Bart und einem riesengroßen Kreuz auf der Brust stieg aus. Das Volk jubelte. Der Priester war in Begleitung einer alten Dame, die wie eine Hexe aus dem Märchen aussah und noch dazu einen Korb mit Gebäck in der Hand trug. Das merkwürdige Paar betrat die Bühne des Kulturhauses zusammen mit einem glatzköpfigen, dicken Mann mit rotem Gesicht, der allem Anschein nach der Anführer der Volksinitiative war. Aufgeregt saß ich in meiner Licht-und-Ton-Loge und drückte auf den Aufnahmeknopf.

Der Abend begann mit einem Diavortrag über den Baikal-See. Wir sahen eine Idylle: klares Wasser, große Wälder, freundliche Dorfbewohner, lachende Kinder beim Baden, glückliche Fischer mit großem Fang auf dem Weg nach Hause – dazu die Abflussrohre der Zellulosefabrik, aus denen irgendeine Scheiße in den Baikal-See gespült wurde. Danach ergriff der Rotgesichtige das Wort:

»Vor fünf Jahren wurden der Fabrikdirektor Genosse Iwanow und zwei leitende Ingenieure, Petrow und Michailow, durch die Ingenieure Goldberg und Kramstein ersetzt«, begann er. »Diese Leute erwiesen sich als Vorboten der Weisen Zions, die es sich zur Aufgabe gemacht haben, unser Land ins Verderben zu stürzen. Sie sind für den Einsatz des giftigen Pulvers verantwortlich, das unseren Baikal-See kaputtmacht und das Volk krank. Die Seuche wird in der Gegend ›jüdischer Krebs‹ genannt.«

Das Publikum zeigte durch Pfiffe und Trampeln sein Entsetzen. Ich war von der Show völlig begeistert, so etwas hatte ich noch nie erlebt. Ich nahm alles auf. Der Diavortrag wurde fortgesetzt. Diesmal konnte man auf den Bildern klar erkennen, dass der Schaden durch den Judenkrebs enorm war: tote Fische, verschmutztes Wasser und kranke Kinder. Die Wälder sahen nun auch auf der Leinwand nicht gut aus – als ob ein Tungusischer Meteorit sie gerade erwischt hätte.

»Der einzige Mensch, der bisher in den Kampf gegen die Vorboten der Weisen von Zion zog, befindet sich heute hier auf unserer Bühne«, sagte der Rotgesichtige und zeigte auf die Hexe: »Diese mutige Frau hat in den russischen Wäldern eine Beere entdeckt, die eine große Heilkraft besitzt und den jüdischen Krebs unschädlich machen kann.«

Die Frau auf der Bühne zeigte dem Publikum das Gebäck in ihrem Korb. Das Publikum applaudierte.

»Aber sie allein hat gegen das Böse keine Chance. Wir müssen dringend eine neue orthodoxe Kirche am Baikal-See errichten. Der heilige Sonnenstrahl wird die bösen Kräfte verwehen. Also spendet Geld für eine neue Kirche am Baikal-See.«

Die Leute im Saal standen auf und bildeten eine Schlange vor dem Priester, der ihr Geld einsammelte. Der Rotgesichtige kündigte derweil an, dass jeder, der Interesse hätte, das heilende Gebäck vom Baikal-See probieren könnte. Nach zwei Minuten war der Hexenkorb leer. Ich konnte mir den Spaß nicht verkneifen und nahm ebenfalls ein Paar Kekse.

»Gut, dass sie meinen Nachnamen nicht wissen«, dachte ich und winkte den Verrückten freundlich mit der Hand. Die Show ging weiter.

Auf einmal schrie eine junge, männliche Stimme vom Balkon: »Faschisten, ihr werdet bald Kinder aufhängen!«

»Kommen Sie runter, junger Mann!«, rief der Rotgesichtige zurück. »Wir unterhalten uns hier wie zivilisierte Menschen, warum verstecken Sie sich da oben? Ich muss betonen, dass ich kein Antisemit bin.«

Oben knallte eine Tür, und jemand fiel zu Boden.

Am nächsten Tag hatte ich Durchfall: Mehrere Stunden saß ich auf dem Klo und verfluchte alle: die Hexe, die Volksinitiative, den Baikal-See, die blöden Kekse und vor allem meine eigene Neugier. Ständig klingelte das Telefon. Der Leiter des Kulturhauses wollte sofort die Tonbänder haben. Ich wollte sie jedoch zuerst überspielen – für meine Freunde, Verwandten und Bekannten und für die Geschichte.

»Ich habe die Bänder aus Versehen mit nach Hause genommen«, log ich den Direktor am Telefon an, »morgen liegen sie auf Ihrem Tisch.«

»Worum ging es eigentlich gestern?«, fragte er mich besorgt.

»Ach, eigentlich um nichts Besonderes. Die Juden haben den Baikal-See vergiftet«, fasste ich das Ergebnis des Abends kurz zusammen.

»Aha, gut zu wissen, dort wollte ich demnächst eigentlich Urlaub machen«, sagte der Chef und legte auf.

Am darauf folgenden Wochenende gab es ein neues Programm von der Volksinitiative »Gedächtnis«. Diesmal war die Veranstaltung den Architekturdenkmälern der Hauptstadt gewidmet. Wieder war der Saal voll, und der Rotgesichtige begann mit einem Diavortrag.

»Vor kurzem feierte unser Land den Sieg über Napoleon im Ersten Großen Vaterländischen Krieg«, erzählte er. »Auf diesem Bild sehen Sie den Triumphbogen, der auf dem Fluchtweg Napoleons aus dem verbrannten Moskau aufgebaut werden sollte. Doch dieses Projekt wurde von den Stadtplanern abgelehnt, stattdessen wurde das Tor auf einen Prospekt gestellt, den Napoleon nutzte, um

Moskau zu erobern. Das ist eine Provokation gegenüber uns allen und eine Sabotage der nationalen Werte.«

»Eine Sauerei!«, hörte man die Stimme des Volkes aus dem Saal.

Eine ältere Dame mit Handtasche betrat die Bühne: »Ich weiß«, rief sie mit aufgeregter Stimme ins Mikrofon, »dass man morgen meine Leiche vielleicht unter einer Brücke finden wird, von einem Lastwagen überfahren. Vielleicht findet man meine Leiche auch gar nicht mehr, das ist mir aber egal! Ich möchte hier trotzdem die Namen der Angestellten der Stadtplanung laut vorlesen, die für diesen Unfug verantwortlich sind.«

Sie holte aus der Tasche einen Zettel und las die Namen vor, die alle ziemlich unrussisch klangen. Der Diavortrag lief inzwischen weiter.

»In einem Wettbewerb um das beste Denkmal für General Suworov nahm der geschätzte russische Bildhauer Dubow teil. Hier sehen Sie sein Projekt«, erklärte der Dicke.

Auf der Leinwand war ein großer, kräftiger Mann zu sehen. In einer Hand hielt er ein riesiges Highlander-Schwert, mit der anderen schlug er sich gegen die Brust.

»Dieser Denkmalentwurf wurde von den Stadtplanern abgelehnt, zu Gunsten eines anderen vom Bildhauer Rosenkranz.«

Auf der Leinwand erschien nun ein anderes Denkmal. Der Suworov von Rosenkranz sah nicht gut aus. Er hatte einen Hühnerhals, war alt, hässlich und bucklig. In der Hand hielt er etwas, was einer zusammengerollten Zeitung ähnlich sah. Zum Fliegentotschlagen, vermutete ich.

Und weiter ging es mit anderen Denkmälern Moskaus. Es gab immer zwei Bildhauer – einen mit russischem Namen und einem schönen Entwurf und einen anderen mit einem fremden Namen und einem hässlichen Entwurf. Viele dieser Statuen hatte ich bereits mehrmals in der Stadt gesehen, aber nie war mir aufgefallen, wie hässlich sie waren. Die Fotografen der Volksinitiative waren sehr aufmerksam. Sie hatten für alle ihre Fotos den richtigen Blickwinkel gefunden und so mit ihren Bildern eine Verschwörung aufgedeckt: Das Puschkin-Denkmal stand beispielsweise mit dem Rücken zum Filmtheater »Russland«. Das Mausoleum erinnerte so schräg von unten geknipst an eine Vagina. Der Fernsehturm war eindeutig ein Penis, der aus dem Kopf von Jurij Dolgorukij, dem Gründer der Stadt Moskau, herausragte.

Am Ende zeigte der Rotgesichtige ein Dia mit der

Karte der Moskauer Metro. Das Streckennetz hatte in seiner Gesamtheit eindeutig das Aussehen eines Davidsterns. Und alle größeren Stationen befanden sich unter wichtigen Regierungsgebäuden. Der Rotgesichtige meinte dazu, die Moskauer Metro wäre nichts anderes als ein Plan jüdischer Architekten, die Hauptstadt in die Luft zu jagen. Alles wäre längst untertunnelt. Die Frau, die unbedingt sterben wollte, las von ihrem Zettel weitere Namen von Leuten vor, die für dies alles Verantwortung trugen. Und wieder schrie jemand vom Balkon, die da unten wären alle Nazis. Der Rotgesichtige regte sich mächtig auf.

Nach der zweiten Veranstaltung hatte sich jemand im Bezirksparteikomitee die Bänder angehört und alle weiteren Veranstaltungen kurzerhand verboten. Die lustigen Kerle mit den Kapuzen und »Gedächtnis«-Pullovern verschwanden genauso rasch aus dem Haus, wie sie dort aufgekreuzt waren. Es wurde still im Park, alle kulturellen Tätigkeiten wurden Ende November vorläufig eingestellt – bis zum nächsten Sommer. Ich machte mich auf die Suche nach einem neuen Job.

Die vier Jahre des Studiums an der Theaterschule waren bald um. Ebenso wie die anderen Studenten konnte ich jede außeruniversitäre Beschäftigung, wie beispielsweise meine Arbeit im Park, als eine Art Praktikum beim Lektorat verwenden. Dafür hatten sie extra Formulare: Der Studierende versichert darin, dass seine berufliche Tätigkeit keine Auswirkungen auf seine Schulleistungen haben wird. Nach Unterschreiben dieses Dokuments war man frei und konnte tun und lassen, was man wollte. Jeder suchte sich einen Job, der am ehesten seinen Interessen entsprach. Ich konnte es nie länger als zwei Monate in einem und demselben Theater aushalten. Nachdem ich mich mit dem Spielplan des Hauses vertraut gemacht hatte, verspürte ich sofort große Lust abzuhauen. Außerdem war ich ständig kritisch gestimmt und fand schon damals alles Scheiße. So einen »Spezialisten« wollten die Theaterhäuser meist nicht haben.

Große und kleine Helden

1983 lernte ich die Moskauer Rockszene kennen, die bei weitem interessanteste Szene von allen, die Moskau damals zu bieten hatte. Meine Freunde und ich suchten nach unseren eigenen Helden, und wir fanden sie auf der Straße: Diese Menschen waren älter als wir, benahmen sich oft wie Kinder und spielten alle Gitarre. Sie behaupteten von sich: »Wir sind die Kinder der englischen Kultur, nicht der russischen!« Und außerdem sagten sie: »Hüte dich vor dem eigenen Land und glaube nie, was dir hier erzählt wird.« Ach, die Moskauer Rockszene – eine unbeschreiblich schöne Zeit. Die Helden der Achtziger brachen auf und fegten die Strohhelden der Sowjetunion einfach weg. Ich hatte als Kind eine große Enttäuschung erlebt, was das Heldentum betrifft. Man könnte sogar sagen, dieses Thema ist für mich mit einem Trauma verbunden. Das kam so:

Der erste Aufsatz, den wir in der Schule schreiben

mussten, hieß: »Mein großes Vorbild«. Für die Jungs gab es reichlich Auswahl: Da war der Kriegsheld General Karbischew, den die Faschisten eingefroren hatten. Dann gab es Alexander Matrosow, der sich mit seinem eigenen Körper auf feindliche Maschinengewehre gestürzt hatte. Und dann der Mann, der die Rote Fahne auf dem Reichstag gehisst hatte. Kosmonauten konnte man auch nehmen, am besten Gagarin oder Grechko. Für die Mädels gab es die Frauen der Dekabristen, dann Zoe Kosmodemjanskaja, die große Partisanin des Zweiten Weltkrieges, außerdem noch die Tereschkowa, die erste Frau im Weltraum, und noch ein paar andere, die bekannt waren.

Dennis, mein Schulkamerad, schrieb immer über seine Mutter, Tante Nina, und dass er so werden wolle wie sie. Dabei war seine Mutter eine ziemlich seltsame Dame und alles andere als ein Vorbild für Jungs. Einmal sah ich sie in unserem Hof, es war ein kalter Winterabend. Sie stand barfuß im Schnee und haute mit einem Schuh irgendeinem Kerl auf den Kopf. Hinterher meinte sie, der Kerl wollte sie angreifen und sie habe sich nur gewehrt. Besonders glaubwürdig klang das nicht. Tante Nina war oft betrunken und kam nicht jede Nacht nach Hause. Damals wunderte ich mich, dass Dennis ausgerechnet seine Mutter als Vorbild wählte, obwohl er oft sagte, wie toll er sie fände, als Frau und überhaupt. Ich war verwirrt. War sie wirklich besser als Zoe Kosmodemjanskaja? Ist mir egal, sagte Dennis, sie ist die Beste.

Eine Vermutung bildete sich in unseren Köpfen: ob sie uns mit diesen Heldengeschichten für dumm verkaufen wollten? Vielleicht waren die Großen gar nicht das, was uns die Lehrer weismachen wollten. Wir stellten Nachforschungen an und erfuhren bald, dass Matrosow ein Gefangener gewesen war, der sich lieber von feindlichen Geschützen hatte töten lassen als wegen Befehlsverweigerung erschossen zu werden. Bei Zoe Kosmodemjanskaja war überhaupt unklar, auf welcher Seite sie gekämpft und wer sie eigentlich umgebracht hatte: die Deutschen oder die Russen. Den Bezwinger des deutschen Reichstags kannte mein Vater sehr gut. Dieser Held verbrachte den Rest seines Lebens in einer Bierkneipe auf der Allee der Kosmonauten in Odessa. Von frühmorgens bis abends spät erzählte der Mann, wie er auf den Reichstag hochgeklettert war und die Fahne gehisst hatte – dafür bekam er sein Ehrenbier. Er starb dann auch in dieser Kneipe.

Ich war noch nicht mal zwölf Jahre alt, aber mein Pantheon war schon so gut wie leer. Und plötzlich, nach so vielen Jahren, kamen sie: die Generäle der Jugendkultur, die uns aus der Seele sprachen. Mischa, Boria, Pascha – die russischen Ausgaben von David Bowie, Mark Bolan und Jonny Rotten. Der Vater von Pascha Rotten war ein sehr berühmter Ballettmeister, der bei einem Gastspiel des Kirowsky-Theaters abgehauen und im Westen geblieben war. Pascha hatte immer Geld und konnte tun und lassen, was er wollte. Nie wurde er vom KGB geschnappt, was für viele andere Helden aus der Szene fast all-täglich war. Man erzählte, der Grund dafür sei sein berühmter Vater. Der KGB wollte dem Westen kei-nen Skandal liefern. Deswegen oder weil Pascha ein-fach ein Glückspilz war, waren seine Aktionen im-mer sehr mutig und ausgefallen. Seine Gruppe »Die automatischen Befriediger« bildete kein festes En-semble, es waren immer irgendwelche Musiker, die gerade in der Nähe waren. Nur Pascha, der erste Punk der Sowjetunion, blieb unersetzbar.

Einmal sollte ich ihm aus der Irrenanstalt heraus-helfen. Ich kannte einen Arzt, und es hätte auch funktioniert. Aber als wir schon fast draußen waren, kam uns die Oberärztin, eine ehrenwerte sechzigjäh-rige Frau, entgegen. Pascha zeigte plötzlich auf sie und brüllte: »Die habe ich auch gefickt!« Er war ein richtiges Schwein. In der Klapse schrieb er Gedichte von der Art:

Nur die Krankenschwester Helena
Hat Schlüssel für meine Handschellen.
Wir kreuzen beide im Gleichschritt
Am Boulevard den Hundeschit;
Bloß ein Schritt nach nebenan,
Und sie ruft die Bullen an.

Bei seiner Punkhochzeit in St. Petersburg warf er seine tolle Braut in einen Mülleimer. Zuerst war sie beleidigt. In Moskau fuhr er mit dem Motorrad in das Schaufenster eines Juwelierladens. Fast bei jedem seiner Auftritte fiel er betrunken von der Bühne. Nach der Perestroika geriet Pascha in Vergessenheit. Er starb letztes Jahr mit achtunddreißig.

Mark Bolan sollte ich einmal vom Bahnhof abholen. Er kam extra aus St. Petersburg, um bei uns in einer extra dafür angemieteten Wohnung zu spielen. Eines unserer ersten Undergroundkonzerte. Er war ein kleiner, grauhaariger Mann. In der Hand hielt er einen Diplomatenkoffer. Eine Stunde vor Beginn saßen wir bei uns in der Küche, während sich die Wohnung langsam mit Leuten füllte. Mischa öffnete

113

den Koffer. Es befanden sich zwei Flaschen Wodka darin.

»Die müssen wir jetzt leeren«, sagte Mischa nachdenklich. »Sonst kann ich mich nicht auf den Gesang konzentrieren.«

»Gut«, sagte ich, »wenn es sein muss.«

Als die Zeit reif war, aufzutreten, stellte sich heraus, dass Mischa von jedem seiner Lieder nur die ersten zwei Zeilen behalten hatte. Das machte uns aber nichts aus, denn alle Versammelten kannten seine Lieder auswendig. So musste er nur den ersten Satz vorgeben, den Rest sang das Publikum.

> *Ich wache morgens auf,*
> *Mein Anzug liegt im Sessel nebenan,*
> *Schau die lustige Tapete an,*
> *Sag mir…*
> *Wo verbrachtest du die letzte Nacht?*
> *Sag mir mit wem?*
> *Oh! Oh! Oh! Oh! Oh!*
> *Meine süße N…*

Mischa starb 1991. Ihn mochten alle, und er genoss seinen Ruhm, wie es nur Mark Bolan vor ihm getan hatte. Sogar meine heutige Frau hatte damals eine Romanze mit ihm.

Den russischen Bowie kannten in St. Petersburg Mitte der siebziger Jahre viele. Einen überregionalen Ruf bekam er jedoch erst nach dem Festival »Junge Künstler im Kampf für den Frieden« in Tiflis 1980. Dort sorgte Boria Bowie mit seiner Band »Aquarium« für Aufregung:

Sie spielen mit uns wie mit Schachfiguren,
Sie stellen uns auf und schicken uns ins Hirnwäsche-
    kombinaaa-aat;
Ich sage: Nicht mit mir! Ich hinterlasse keine Spuren
Auf eurem verschissenen Sand.

Wenn ich mir das jetzt anhöre, muss ich lachen. Boria lebt noch und singt weiter. Manchmal denke ich, es wäre besser, er würde aufhören. Aber damals eröffneten all diese Sänger für mich und Hunderte von anderen neue Horizonte. Und neue Freundschaften entstanden.

Bei einem Konzert lernte ich Katzman kennen, einen Jungen, der mit vierzehn von zu Hause weggelaufen war. Er sah sehr intelligent aus und kannte sich gut in Rockmusik aus. Zusammen mit verschiedenen Musikern pendelte er durch Moskau und besorgte für die Helden Auftritte. Er nahm mich in seine Firma auf. Der Job gefiel mir. Katzman und ich organisierten innerhalb eines Jahres mehrere Undergroundkonzerte. Das lief folgendermaßen: In einer Wohnung versammelten sich siebzig bis achtzig Fans und ein paar Musiker mit Gitarren und Mundharmonika. Das Ganze war als Geburtstagsfeier getarnt, trotzdem sprangen manchmal einige Gäste aus dem Fenster, wenn die Polizei aufkreuzte. Wir überlebten Dutzende von Razzien und alle Verhaftungen. Daraufhin riss sich die Jugendabteilung des KGB unser Geschäft unter den Nagel. Sie wollten alles im Auge behalten und förderten deswegen die Eröffnung eines legalen Rockklubs. Dort durften wir weitermachen, nur jetzt in einem gesetzlichem Rahmen – mit dem KGB zusammen.

Die Organe der Staatssicherheit wiesen uns einen Beamten zu, der in seiner Jugend eine Musikausbildung genossen hatte und nun den offiziellen Leiter des Rockclubs spielen sollte. Er bekam von uns den Spitznamen »Dirigent«. Der Mann trug Jeans und zeigte sich auch sonst sehr liberal. »Ich bin sicher, dass wir gut miteinander klarkommen«, sagte er zu uns. Das wollten wir natürlich nicht und gingen auf Tournee. Die Entdeckung neuer Helden und deren Aufbau wurde zu unserem Beruf. Die Nachfrage wurde immer größer, das Konzertleben brummte, und so mussten wir ständig neue Helden ins Spiel bringen. Katzman und ich durchkämmten die Studentenheime auf der Suche nach Leuten, die eine Gitarre einigermaßen gerade halten konnten, und das mit Charisma.

Unsere letzte Entdeckung war ein Kerl aus Nowosibirsk, den alle Mammut nannten, weil er sehr klein war. Wir stießen in einem Studentenheim des medizinischen Instituts auf ihn. Dort hatte er bei den Mädchen enorme Erfolge eingeheimst. Mammut war ein typischer Held – klein, dünn, mit langen blonden Haaren und einem Erlöser-Bart. Seine Schuhe hatten Kindergröße. Auf seiner 12-Saiten-Gitarre, die fast so groß war wie er selbst, spielte er sehr gut und vor allem laut. Wenn man ihn mit westlichen Musikern vergleicht, war Mammut eine Art russischer Jim Morrison. Mit hoher Stimme sang er selbst gedichtete Lieder: tragische Geschichten von jungen Menschen, die unbedingt sterben wollen oder sterben müssen. Die Mädchen brachen in Tränen aus, als Mammut sein Lieblingslied anstimmte: »Mama, ich habe mir den goldenen Schuss verpasst, gute Nacht, Mama, ich werde nie wieder wach.«

Mammut gab dreimal wöchentlich ein Konzert im Studentenheim des Medizininstituts. Wir besorgten ihm weitere Auftrittsmöglichkeiten. Mit seinem blonden Haar sah er wie ein kleiner, skandalöser Jesus aus, der statt für ein ewiges Leben für einen schnellen Tod plädierte. Dazu kam, dass Mammut als Privatmann alles andere als ein drogensüchtiger Freak war. Im Gegenteil: Er rauchte nicht, trank keinen Alkohol und nahm auch keine Drogen. Katzman erzählte mir, dass er Mammut sogar einmal frühmorgens beim Joggen erwischt hatte. Mit uns diskutierte Mammut am liebsten über die Schädlichkeit von Zugluft und die Abwehrkräfte des menschlichen Organismus. In Nowosibirsk hatte er fünf Jahre lang Medizin studiert, und eigentlich hatte er Arzt werden wollen, aber das Schicksal hatte etwas anderes gewollt.

Wie Mammut nach Moskau gekommen war, wusste so recht keiner. Sogar meine Kumpels aus der Band »Mittelrussisches Plateau«, die ebenfalls aus Nowosibirsk stammten, konnten uns nichts Genaueres dazu sagen. Der Grund für seine Abreise war wohl eine Liebesgeschichte. Mammuts Freundin hatte sich angeblich in seiner Wohnung auf dem Klo aufgehängt oder so. Auf jeden Fall war es eine Geschichte, die zu seinem Heldentum passte und ihm noch mehr Charisma verlieh. Mit ihm wollten wir nun auf Tournee gehen, er war für eine solche Reise der beste Kandidat. Ein Nichttrinker und Nichtraucher, der sich sehr für Geld interessierte. Außerdem wussten wir, dass Mammut in dem Studentenheim litt, obwohl er uns das nie laut sagte. Die Mädels dort verfolgten ihn Tag und Nacht, manche fingen sogar an, ihre Begeisterung für den Sänger auf aggressive Art zu zeigen. Man hatte ihn schon ein paar Mal auf dem dunklen Flur an den Eiern gepackt. Im medizinischen Institut herrschten damals noch raue Sitten.

Unser erstes Reiseziel war Kiew. Dort hatte Katzman früher schon einmal gewohnt, und er kannte sich in der Stadt gut aus. Die zweitägige Zugfahrt benutzte Mammut, um uns über gesundes Leben aufzuklären. Die kleinen ukrainischen Dörfer, an denen wir vorbeirasten, wirkten traurig und arm. Überall, wo der Zug hielt, die gleichen Szenen: halbnackte Kinder, die versuchten, eine extrem dünne Ziege umzubringen; Männer, die auf einer Holzkiste saßen und aus großen grünen Einliterflaschen Wein tranken; alte Frauen, die volle Eimer anschleppten. In jedem Bahnhofskiosk war dasselbe Sortiment zu sehen: schrumpelige Äpfel, zwei Sorten Zigaretten ohne Filter und ein Haufen alter Zeitungen. Und jedes Mal umzingelten Dutzende von Omas den Zug und verkauften selbst gemachte Buletten mit warmen Pellkartoffeln. Katzman und ich nahmen immer wieder Kostproben. Mammut konnte als überzeugter Vegetarier den Anblick nicht ertragen, und außerdem hatte er sowieso kein Vertrauen zum ukrainischen Volk.

»Ihr wisst gar nicht, was in den Buletten alles drin ist«, belehrte er uns, »vielleicht haben die Alten ihre Enkelkinder durch den Fleischwolf gedreht, oder sogar Ratten verarbeitet.«

»Ukrainische Kinder sind angenehm fett im Fleisch, außerdem essen sie viel Obst und müssten eigentlich gut schmecken«, erwiderte Katzman.

In Kiew stiegen wir aus und gingen zu Galina, einer alten Bekannten von Katzman, die er als sehr gastfreundlich charakterisiert hatte. Die gastfreundliche Galina erwies sich als eine rothaarige vierzigjährige Dame mit schiefem Blick. Sie konnte sich an Katzman überhaupt nicht erinnern, ließ uns aber sofort in ihre Wohnung. Nicht mal unsere Namen wollte sie wissen: »Fühlt euch wie zu Hause«, sagte sie und verschwand in der Küche. Im Wohnzimmer saß ein junger Mann in einem grauen Anzug und rauchte eine Zigarre. Ein anderer Mann, ebenfalls in einem grauen Anzug, saß am Ende des Korridors auf einem Hocker und blätterte eine Zeitung durch. Galina bereitete für alle das Essen. Dann bat sie uns alle in die Küche. Mammut zerrte seine Gitarre aus dem Koffer und fing an, sie zu stimmen.

»Was hat euch nach Kiew verschlagen?«, fragte uns einer der Jungs im grauen Anzug.

»Wir wollen hier ein paar Konzerte organisieren und ein wenig die Szene aufmischen«, erklärte Katzman.

»Ihr könnt bei mir übernachten, wenn ihr wollt«, sagte die gastfreundliche Galina, »ein freies Bett habe ich zwar nicht, aber der Teppich im Gästezimmer, der unter dem Flügel liegt, gehört euch. Da ist auch ein Kissen, eigentlich ein Fußkissen, aber als Kopfkissen kann man es auch benutzen.«

»Das kommt nicht in Frage«, mischte sich der andere junge Mann im grauen Anzug ein, »die Jungs müssen sofort von hier verschwinden.«

Die Atmosphäre in der Wohnung schien mir von Anfang an merkwürdig. Ich konnte nicht feststellen, in welcher Beziehung die Gastgeberin zu den beiden stand. Als Galinas Liebhaber konnte ich sie mir kaum vorstellen.

»Vielleicht sind alle drei unter Drogen?«, überlegte ich.

»Hört nicht auf ihn«, meinte Galina, »nehmt alles, was euch hier gefällt, ich brauche die Sachen sowieso nicht mehr, ich fahre nämlich nächste Woche nach England.«

»Das werden wir noch sehen, wo du hinfährst, alte Schlampe«, sagte der junge Mann mit der Zigarre.

Langsam klärte sich die Situation am Tisch, und uns wurde klar, in welche Falle wir da geraten waren: Vor den Moskauer KGB-Männern geflohen und erst seit einer Stunde in Kiew, saßen wir in einer fremden Küche schon wieder mit KGB-Leuten zusammen und tranken Tee. Die gastfreundliche Galina, die so toll kochen konnte, erwies sich als Kiews Staatsfeind Nummer eins. Die Frau hatte jahrelang für die BBC über Menschenrechtsverletzungen in der Ukraine berichtet, und nun durfte sie das Land verlassen. Doch bevor ein Dissident das Land verlässt, wird er nach alter Tradition vom KGB angeworben, oder zumindest wird der Versuch unternommen. Die beiden Jungs in Galinas Wohnung sollten sie eigentlich nur beschatten. Doch mit der Zeit hatte sich eine Art Hassliebe zwischen den dreien entwickelt, und nun glichen sie fast einer Familie. Schnell packten wir unsere Sachen wieder zusammen und verabschiedeten uns.

Es war schon recht spät, aber wir wussten, wie man in einer fremden Stadt eine Übernachtung organisiert. Im »Haus der Jugend«, einer Art staatlichen Jugendherberge, fand gerade ein regionales Tanzfestival statt. Unsere »Tanzgruppe Apfelbaum«, wie Katzman sie nannte, war zwar nicht angemeldet, doch nach einem längeren Gespräch hatte sich der Pförtner an uns gewöhnt und erlaubte uns, die Ledersofas in der Empfangshalle als Bett zu benutzen. Über Nacht wurden wir jedoch paranoid. Keiner konnte einschlafen. Uns schien, als wäre die KGB-Falle in Galinas Wohnung extra für uns aufgestellt worden. Doch wenigstens ein Konzert wollten wir auf jeden Fall veranstalten, sonst wäre die ganze Fahrt umsonst gewesen.

Am nächsten Tag rief Katzman eine andere Kiewer Freundin an. Sie nahm uns auf und stellte sogar ihre Wohnung für das Konzert zur Verfügung. Als Belohnung bekam sie 25 Rubel von uns.

Lisa war noch sehr jung, ging zur Schule, lebte aber allein, weil ihre Mutter einen Georgier geheiratet hatte und mit ihm nach Tiflis gezogen war. Lisa hatte auch rote Haare wie fast alle Freundinnen von Katzman. Der holte bei ihr dann sein dickes Notizbuch heraus, in dem Hunderte von Telefonnummern in allen erdenklichen Städten standen, und sperrte sich in der Küche ein. Nach einer Stunde legte er den Hörer zufrieden auf und bemerkte: »Das Publikum für heute Abend ist uns erst mal sicher.«

Lisas Wohnung war sehr klein, doch wir hatten einige Tricks auf Lager, wie man auf zehn Quadratmetern hundert Menschen unterbringen konnte. Die Kiewer Jugendlichen standen abends Schlange, um sich für drei Rubel die Lieder von Mammut anzuhören. In Moskau hatten wir immer zwei Rubel als Eintritt verlangt, doch in Kiew glich unsere Show einem Topereignis, außerdem mussten wir hier unter erschwerten KGB-Bedingungen arbeiten. Wir kassierten auf der Treppe vor dem Fahrstuhl. Jedes Mal, wenn die Tür aufging, erwarteten wir ängstlich die grauen Männer aus Galinas Wohnung. Sie kamen aber nicht. Wir pressten unser Publikum in das leer geräumte Konzertzimmer und machten die Tür von außen mit Gewalt zu. Die Zuhörer saßen so eng zusammen wie Sprotten in einer Dose, keiner konnte rein oder raus. Mammut fing an zu singen:

> *Ich bin eine stinkende Taube,*
> *Krank, schmutzig und staubig.*
> *Die Pfütze ist meine Brause,*
> *Der Mülleimer ist mein Zuhause,*
> *Dafür kann ich aber flie-eegen!*

Das Zimmer stöhnte, die Glasscheiben an der Tür beschlugen sich mit Kondenswasser von den schwitzenden Fans. Die Jugend von Kiew erwies sich als begeistert. Katzman und ich standen vor der Tür und hörten zu.

»Gib es ihnen, Mammut, misch sie auf«, rief mein Freund und Konzertmitorganisator.

Dann verdrückten wir uns in den Waschraum, wo wir das ganze Geld in die Wanne warfen. Sie wurde zwar nicht voll, aber für ein paar Monate hatten wir ausgesorgt. Katzman stieg in die Wanne und fing an, unser Geld zu zählen. Ich stand einfach so daneben und zündete mir eine Zigarette an. Nichts wünschten wir uns in diesem Moment mehr, als mit dem Geld so schnell wie möglich zu verschwinden. Es ging leider nicht. Jemand klopfte an die Tür. Ich machte auf. Es war die rothaarige Lisa. Sie schaute in die Badewanne, ihre Augen wurden ganz groß.

»Ihr seid ja richtig reich geworden!«

Sie hatte bestimmt noch nie eine halbe Badewanne voll mit Geld gesehen.

»Nein, es ist nicht so, wie du denkst«, erwiderte Katzman.

»Wir müssen noch Steuern zahlen«, präzisierte ich. »Und außerdem bekommt Mammut das meiste, wir sind nur seine Hilfsgruppe, er ist der Star.«

»Fahren wir in die Stadt, ich zeige euch Kiew bei Nacht«, schlug Lisa vor.

»Wir können nicht, Mammut arbeitet noch. Warum hörst du dir eigentlich nicht sein Konzert an? Gefällt er dir nicht?«, fragte Katzman.

»Warum hört ihr euch euren Mammut nicht selber an? Stattdessen versteckt ihr euch im Waschraum und badet in Geld.«

Wir schwiegen. Irgendwie hatte sie Recht.

»Wir kennen sein Repertoire schon auswendig«, verteidigte ich uns.

»Dann kommt, Jungs, lasst uns in die Stadt fahren…«

Diese Lisa! Hat uns dann wirklich überredet. Leise gingen wir zur Tür, aus dem Konzertzimmer hörte man Mammuts Falsett und das glückliche Pfeifen des Publikums. Der Liederabend erreichte langsam seinen Höhepunkt.

Zu dritt, die Taschen voller Geld, schlenderten wir durch das nächtliche Kiew. Die Kioske hatten schon zu, in den meisten Häusern brannte kein Licht mehr. Wir landeten ziemlich schnell in einem Restaurant namens »Sadko«, das gegenüber vom Hauptpostamt lag und Lisas Schilderungen nach etwas ganz Besonderes sein musste. Es gab dort einen guten moldawischen Cognac, »Der weiße Storch«, und es roch angenehm nach Schaschlik. Auf einer kleinen Bühne spielte ein Quartett, und gegen angemessene Bezahlung erfüllten die Musiker jeden Publikumswunsch. Ich war das erste Mal in einem solchen Lokal: ein Laden für ausgewachsene, gierige Männer mit vollen Brieftaschen. Wir bestellten uns Cognac, Lisa bestand auf Champagner.

»Wie viel Cognac? Wie viel Champagner?« Die dicke Serviererin im blauen Hemd regte sich sofort auf. »Eine Flasche, zwei Flaschen?«

»Hundert Gramm!«, sagte Katzman entschlossen, »oder vielleicht besser zweihundert...«

»Und für mich bitte ein Glas Champagner«, fügte Lisa hinzu.

»Ein Glas?«, fragte die Dicke fassungslos, »und was mache ich mit dem Rest?« Sie war richtig wütend.

»Ich mache extra eine Flasche Champagner auf, um zwei Tropfen daraus zu melken, und wer soll dann den Rest trinken?«

Danach widmete sie sich Katzman.

»Du kannst deine zweihundert Gramm hier ablecken«, sagte sie und tippte mit dem Finger an ihre großen Titten.

»Hallo, Bedienung, noch zwei Kisten Cognac!«, rief ein alter Georgier am Tisch nebenan.

»Kommt sofort«, flötete die Dicke zurück und verschwand von unserem Tisch.

Wir hatten keine andere Wahl, als zwei Flaschen Cognac zu bestellen und eine Flasche Champagner noch dazu – für die Dame. Schaschlik bestellten wir dann auch.

»Was! Schaschlik? Wie viel? Ein Kilo – zwei Kilo – drei Kilo?«, regte sich die Frau schon wieder auf. »Ich sage euch gleich, Jungs, wegen hundert Gramm lasse ich keine Sau in der Küche umbringen.«

»Bedienung!«, rief wieder der Georgier vom Tisch nebenan, »fünf Kilo Schaschlik und zwei Liter Tomatensauce dazu.«

Von den Alkoholmengen und der ungewöhnlich bösartigen Bedienung wurden wir schnell betrunken. Katzman bestellte bei den Musikern ein ums andere Mal den »Säbeltanz«. Der Nachbartisch bestand dagegen auf »Suliko«. Unser Wettbewerb wurde immer ruinöser. Der Sänger kündigte laut übers Mikro an: »Und nun, liebes Publikum, spielen wir für unsere verehrten Gäste aus Moskau zum vierten Mal den ›Säbeltanz‹!«

»Hurra«, rief der besoffene Katzman.

»Ich möchte noch eine Flasche Champagner!«, meldete sich Lisa.

»Hurra! Noch eine Flasche Champagner!«, freute sich Katzman.

Der Georgier hasste anscheinend den »Säbeltanz«.

Jedes Mal, wenn die Musik anfing, bekam er einen Schluckauf. Nachdem er sich das Stück zum sechsten Mal hatte anhören müssen, kam er zu uns an den Tisch, zog seine Hosen herunter und zeigte Katzman seinen Schwanz.

»Wie ist das gemeint?«, fragte mein Freund uns verwirrt. »Was will er mir damit sagen?«

»Er will uns damit sagen, dass wir vielleicht lieber gehen sollten«, übersetzte ich.

Als wir aus dem Restaurant traten, hatten wir nicht einmal mehr fünf Rubel fürs Taxi und mussten den langen Weg zurück laufen. In der Wohnung wartete Mammut auf uns. Er war allein und stockbesoffen. Zum ersten und einzigen Mal sahen wir unseren Helden in einem solchen Zustand. Aus seinem unverständlichen Gemurmel konnten wir den Verlauf des Abends rekonstruieren:

Sein Auftritt war sehr erfolgreich gewesen, die Zuschauer hatten ihm begeistert die Hand geschüttelt und waren dann alle nach Hause gegangen. Plötzlich stellte Mammut fest, dass er sich ganz allein in einer fremden Wohnung befand und nicht einmal die Türen richtig abschließen konnte, denn das Schloss war kaputt. Er kam zu der Überzeugung, dass wir während des Konzerts vom KGB verhaftet worden waren und er auch gleich abgeholt werden würde. Er bekam panische Angst und war sich nicht sicher, ob er die Qualen der Folter mutig überstehen könnte. So rannte er sinnlos durch die Wohnung und zuckte bei jedem Geräusch zusammen, bis er in Lisas Kühlschrank eine Flasche Wodka fand, die er zügig leerte. Danach wurde ihm schlecht.

Unter diesen Umständen mussten wir der armen Lisa die 25 Rubel Miete wieder abnehmen. Das Taxi, das uns dann zum Moskauer Bahnhof von Kiew brachte, musste unterwegs fünfmal anhalten. Mammut ging es nicht gut. Erst auf dem Bahnhof erholte er sich langsam. Es war fünf Uhr morgens, der erste Zug nach Moskau fuhr erst in einer Stunde. Wir saßen allein im Wartesaal, direkt über uns hing ein riesengroßes, rotes Transparent. Mammut versuchte es zu entziffern: »Der Kommunismus wird siegen« stand dort. »Gott sei Dank!«, rief Mammut erleichtert. Und schlief blitzschnell ein.

Die Läuse der Freiheit

Unter Gorbatschow verlor die sozialistische Ideologie vollends ihre Glaubwürdigkeit. Ihr Antlitz wurde nicht menschlicher, sondern verzerrter. Eine Ideologie, die keine Angst mehr einjagt, hat keinen Anspruch auf Ewigkeit, sie verlor massenhaft die Seelen ihrer Träger – der Kommunisten-Karrieristen, denen nun mehr und mehr Zweifel kamen, ob sie sich immer richtig verhalten hatten während ihrer Karriere in der Kommunistischen Partei. Keiner von ihnen glaubte mehr ernsthaft an den Sieg des Sozialismus. Das galt auch für den Direktor des Betriebes, in dem mein Vater arbeitete: Dieser ehemalige Oberst, seit dreißig Jahren in der Partei, sagte bei einer privaten Versammlung im Sportsaal der Firma ganz offen und ohne Angst, er bezweifle, dass die sozialistische Ideologie eine Zukunft habe und wolle deswegen noch in diesem Jahr mit dem Ausbau seiner zweiten Datscha fertig werden. Für meinen Vater

kam diese Botschaft so unerwartet wie ein Blitz-
schlag. Er hatte nämlich den Bau seiner ersten Datscha noch gar nicht angefangen, stattdessen hatte er
vergeblich jedes Jahr versucht, in die Partei einzutre-
ten, und fühlte sich nun von den Kommunisten verladen. Anstelle der alten Ideologie, die in Sachen
»Eigeninitiative oder wie baue ich meine Datscha auf
Kosten des Betriebes« nur Parteimitglieder berück-
sichtigte, kamen neue, zeitgemäßere Orientierungen
ins Spiel.

1985 sprach mein Vater zum ersten Mal in der
Küche vom »Business«. Er erzählte meiner Mutter,
dass sein ehemaliger Chef, der vor zwei Jahren als
Leiter der Abteilung Planwesen wegen unvorschrifts-
mäßiger Verwendung von Baumaterialien zu anderthalb Jahren Gefängnis auf Bewährung verurteilt worden war, wieder aufgetaucht sei und jetzt ein eigenes
»Business« aufgebaut habe. Nun versuche er meinen
Vater zu überreden, für ihn zu arbeiten, für das dop-
pelte Gehalt. Doch mein Vater war noch sehr konser-
vativ; dieses »Business« roch für ihn zu stark nach
Knast. Ich war gerade an dem Abend mit ganz anderen Problemen beschäftigt, ich bekämpfte nämlich
Läuse, die sich in meinen Kopfhaaren eingenistet
hatten. Ich saß mit einem Plastikbeutel auf dem Kopf
im Nebenzimmer und betrachtete eine große Karte

der Sowjetunion, die an der Wand direkt vor meiner Nase hing. Der Gorbatschow'sche Sozialismus mit menschlichem Antlitz hatte dem Land zwei neue Spielzeuge beschert: »Business« für die Väter und »Freiheit« für die Söhne. Für mich fing diese leider mit Läusen an.

Die alternative Jugendkultur stand Mitte der Achtzigerjahre in voller Blüte, und überall wimmelte es von Anhängern der Hippie- bzw. Punkbewegung. Allein der Leningrader Rockklub zählte achthundert Bands, und per Anhalter herumzureisen war große Mode. »Von Moskau nach Nagasaki, von Europa bis zum Mars«, sang Umka, die russische Janis Joplin, eine der Stimmungskanonen der damaligen Zeit.

Die Jugendlichen reisten von einer Stadt zur anderen, alle kannten sich und konnten überall »Flat and Food« finden, wie es hieß.

Mein Freund Katzman und ich wollten im Sommer 1985 wieder einmal zu unserem Lieblingszeltplatz nach Lettland trampen. Dort ging der Spaß schon im Mai los und endete erst im November, wenn der erste Schnee vom Himmel fiel. Doch dieses Jahr hatten wir uns meinetwegen verspätet. Ich hatte mich in ein junges Mädchen aus Kiew verliebt, das eine Weile in Moskau gewohnt hatte und kurz davor war, nach Kiew zurückzufahren, als wir uns kennen lernten. Katzman, der sie schon etwas länger kannte, meinte: »Pass auf, diese Angela ist nett, aber sie hat Läuse.« Ich hatte mir jedoch eingebildet, unsterblich in sie verliebt zu sein, und begleitete sie deswegen per Anhalter die halbe Strecke nach Kiew, anschließend fuhr ich alleine wieder zurück.

Das Mädchen hatte lange, dicke, blonde Haare, ich lange, dicke, schwarze. Wir küssten uns unterwegs, ihre Läuse kletterten zu mir herüber. Als ich nach Moskau zurückkam, waren es schon sehr viele. Ich wollte meine langen, dicken Haare auf keinen Fall abschneiden, wusste jedoch nicht, wie ich diese Viecher sonst wieder loswerden könnte. Also ging ich zu meiner Mutter, die sehr kreativ war, eine viel größere Lebenserfahrung besaß und mir bestimmt helfen konnte. Meine Mutter suchte sich ein paar Läuse von meinem Kopf, holte ein Vergrößerungsglas aus ihrem Schreibtisch und betrachtete sie erst einmal genau.

»Das sind keine Läuse«, sagte sie nach einer Weile entschieden. »Auf jeden Fall nicht solche, wie ich sie kenne. Damals in Samarkand, als wir 1941 aus Moskau evakuiert wurden, hatten alle Kinder Läuse. Doch unsere waren viel, viel kleiner. Und auch nicht so dick, nicht so schnell. Außerdem hatten unsere Läuse nur vier Beine. Diese hier haben sechs.«

»Das sind eben andere Läuse, Mama«, sagte ich.

»Eure damals waren Läuse der Armut, des Hungers und der Vertreibung, die über geschwächte Menschen herfielen. Diese hier, das sind die Läuse der Freiheit!« Dann ging ich zur Apotheke.

»Was haben Sie gegen Läuse?«, fragte ich eine nette junge Verkäuferin hinter der Theke.

»Wir haben zwei Sorten Hundeseife und ein Hundeshampoo für ganz junge Tiere. Wie alt ist Ihr Hund denn?«, fragte sie mich.

»Bald achtzehn«, sagte ich und wurde rot. »Ein ganz alter Hund. Er braucht besondere Pflege. Ich nehme am besten beides.«

Sie guckte mich neugierig an und hatte wahrscheinlich begriffen, dass ich der Hund war. Zu Hause seifte ich meinen Kopf mit beiden Seifensorten ein, goss noch das Hundeshampoo oben drauf und ein wenig Benzin. Letzteres auf Empfehlung meines Freundes Katzman. Danach zog ich eine Plastiktüte über den Kopf und lief so vierundzwanzig Stunden in der Wohnung herum. Meine Mutter machte ständig Witze über mich. Sie sagte, dass meine Läuse in einer solchen Situation gar keinen Fluchtweg hätten und bestimmt versuchen würden, in mein Gehirn einzudringen. Ich fand das alles überhaupt nicht komisch. Mein Vater hatte nichts bemerkt. Er war zu sehr mit den neuen Ideen beschäftigt und dachte über »Business« nach. Er entwickelte große Pläne und wollte dringend mit dem Bau einer Datscha anfangen, bevor es zu spät war. Es war aber schon zu spät, wie sich dann herausstellte.

Nach meiner Entlausung fuhren Katzman und ich dann doch noch nach Gauja in die lettische Republik. Zwei Sommerreiserouten waren damals bei den Jugendlichen besonders beliebt: runter zum Schwarzen Meer oder hoch zum Baltischen Meer. Diejenigen, die auf Abenteuer scharf waren, zelteten auf der Halbinsel Krim in der Nähe des Städtchens Gursuf. Der mündliche Reiseführer versprach dort Lebensgefahren aller Art: Schlägereien mit der Polizei, Verfolgung durch besoffene, bewaffnete Ureinwohner, lebensgefährliche Bergwanderungen, ansteckende Krankheiten und das vollkommene Fehlen von Lebensmitteln.

Die anderen, die Ruhe suchen und sich vom Stadtleben erholen sowie neue Freunde und neue Drogen kennen lernen wollten, fuhren in Richtung Baltisches Meer nach Lettland. Dort, etwa vierzig Kilometer von Riga entfernt in der Nähe des Dorfes Lilaste, befand sich an einem geheimen Ort im Fichtenwald versteckt der größte Indianerzeltplatz der Sowjetunion. Jedes Jahr entstand das Lager an einem anderen Ort, aber immer in diesem Wald, nahe des Flusses Gauja. Die lettische Republik hatte zwei große Flüsse: die kurze und breite Daugava und die flache, enge, manchmal fast gar nicht als Fluss erkennbare Gauja, die jedoch durch die ganze Republik floss.

Die aktuelle Adresse des Lagers konnte man in einem Eiscafé in Riga namens »Near Bird« erfahren. Das Café hatte seinen Namen einem vor dem Eingang stehenden Denkmal zu verdanken, einer aus Beton geformten Möwe, die wie ein verunglücktes Flugzeug aussah. »Near Bird«, was auf Russisch wie »Am Arsch vorbei« klang, war der wichtigste Treffpunkt der Jugendlichen in der Stadt. Dort arbeitete Otto, ein langhaariger Doppelgänger von Iggy Pop. Er diente als Verbindungsmann, belieferte das Lager mit Kuchen- und Speiseeisresten und gab den Neuankömmlingen selbst gezeichnete Karten mit dem aktuellen Standort des Zeltplatzes. Aber natürlich nur dann, wenn die Referenzen stimmten.

Katzman und ich hatten eine glückliche Fahrt; gleich mit dem ersten Lkw schafften wir fast die halbe Strecke. Auch danach mussten wir nie länger als zehn Minuten an der Autobahn stehen. In der Nähe von Pskow trennten wir uns, und jeder trampte alleine weiter. Wir hatten nämlich eine Wette abgeschlossen, und wer als Erster im »Near Bird« ankam, hatte gewonnen. Katzman hatte mehr Glück als ich:

137

Er erwischte einen Laster, der ihn praktisch bis vor die Tür der Kneipe fuhr. Ich kam erst zwei Stunden später an. Wir bekamen von Otto, den wir bereits gut kannten, eine Karte und einen Sack voller Süßigkeiten für das Lager. Mit dem Zug fuhren wir weiter Richtung Lilaste, um dort für weitere drei Monate im Wald unterzutauchen und ein freies Leben in natürlicher Umgebung zu führen. Im Zug lernten wir zwei Mädchen kennen, die mit ihren zwei großen Hunden ebenfalls zum Zeltplatz wollten. Die Hunde hießen Yoko und Janis. Wie die Mädchen hießen, ist mir nicht in Erinnerung geblieben.

Lilaste war eine sehr kleine Siedlung: fünf Häuser, ein Lebensmittelladen und ein paar Schweine, die sich in einer Pfütze suhlten. Eine Holzbank mit einem Schild, auf dem logischerweise »Lilaste« stand, diente als Bahnhof.

Auf der Bank saß ein merkwürdiges Paar: eine Dame in blauem Kleid, zusammen mit ihrem Mann, der trotz des heißen Sommerwetters in einem Anzug schwitzte. Zwei große, schwarze Koffer standen neben ihnen. Es waren bestimmt keine Touristen. Sie warfen ab und zu verzweifelte Blicke um sich und gaben so das Signal: »Menschen in Not! Helft uns! Wir wissen nicht weiter!« Wir kamen ins Gespräch. Es waren Eltern, die auf der Suche nach ihrer von zu Hause abgehauenen Tochter waren. Sie hatten das ganze Land durchfahren und es fast geschafft, sich nun aber im Wald verlaufen. Seit zwei Tagen saßen sie bereits auf der Bank. Die Einheimischen, die nur lettisch sprachen, konnten ihnen nicht weiterhelfen, hatten ihnen aber regelmäßig Wasser und Brot an die Bank gebracht. Wir nahmen uns der verzweifelten Eltern an und versprachen ihnen, ihre Tochter Katja zu finden.

Nach zwei Kilometern durch den Wald, bergauf, bergab, erreichten wir unser Ziel. Hunderte von Zelten standen im Wald. Genau genommen waren es drei verschiedene Camps, die nebeneinander lagen und eine komplizierte Beziehung untereinander unterhielten. In dem ersten Lager lebten die so genannten Idos – junge Menschen, die einer bestimmten Idee verfallen waren; also Krischna-Anhänger, Buddhisten, einige Satanisten und andere »Religionsfanatiker«. Die Idos waren harmlos, aber im Gespräch kaum erträglich. Sie hatten nämlich immer nur ein Thema: »Ich war ein schlechter Mensch und bin jetzt ein guter. Das alles habe ich einer Erleuchtung zu verdanken, die ich dir mitteilen möchte.« Diese an sich recht unterschiedlichen Menschen, die alle früher so schlecht und nun so gut geworden waren, hatten den ganzen Tag zu tun, jeder auf seiner Art. Der eine mit Musik und Gesang, die andere mit Feuer und Tanz, und dabei kommunizierten sie ständig mit ihren Göttern. Die Idos-Kommune war der lauteste Teil des Zeltplatzes.

Im zweiten Lager herrschte dagegen Stille. Tagsüber sah man nur Zelte, keine Menschenseele weit und breit. Es wurde nicht gekocht, es gab keinen großen gemeinsamen Lagerfeuerplatz, und es roch nach Medikamenten. Dort lebten die »Narks«, die Drogenfreaks, die in der Wildnis eine Art Vampirleben führten. Tagsüber verkrochen sie sich in ihren Zelten oder im Wald und schliefen, aber nachts wurden sie aktiv und gingen auf Jagd. Man muss dazu sagen, dass die lettische Republik immer schon ein anziehender Ort für alle Drogenfanatiker in der Sowjetunion gewesen war, weil die lettischen Bauern auf ihren Grundstücken eine Pflanze kultivierten, für die ihre russischen und weißrussischen Kollegen nichts übrig hatten. Die Letten besaßen Mohnplantagen. Die nationale Küche benutzt dort oft und gerne Mohnkörner – im Brot, im Käse, in der Wurst, in der Suppe und sogar in der Marmelade sind sie zu finden. Die Drogenfanatiker mochten dieses Produkt natürlich auch. Gekocht oder gebraten, die Köpfe oder den Stiel; sie hatten ihren eigenen Vorrat, unternahmen aber jede

Nacht Ausfälle und überfielen die Plantagen. Es kam immer wieder zu regelrechten Schlachten zwischen den einheimischen Bauern und den wildfremden Drogenfreaks. So mancher Bauer verbrachte die Nacht auf dem Dach seines Hauses mit einem Gewehr in der Hand, um Plantagendiebe abzuknallen. Einige Leute meinten daher, die lettischen Bauern würden den Mohn nicht für ihre Lebensmittel, sondern bloß der Jagd wegen anbauen.

Im dritten Zeltdorf, dem größten von allen, wohnten die so genannten Indis – Indianer. Mit einem Wort: alle, die keine Drogenfreaks oder Sektenanhänger waren. Manche nutzten die Zeit, um sich für eine Aufnahmeprüfung an der Uni vorzubereiten, andere spielten Gitarre oder versuchten, jemanden zu verführen. Eine Säuferbrigade, das »Trinkkommando« genannt, verscheuchte die Touristen, die es sich an den Wochenenden am See gemütlich machen wollten. Anschließend sammelten sie die leeren Flaschen und alles andere Brauchbare, das die Touristen zurückgelassen hatten, und tauschten die Sachen in den Dörfern gegen den dort selbst gebrannten Mohnschnaps.

Trotz der scheinbaren Interessengegensätze, gab es in dem großen Lager so gut wie keine Auseinandersetzungen, alle vertrugen sich irgendwie. Die

Anarchie hatte eine Alltagsordnung, an die sich alle hielten. So durften zum Beispiel die Drogenfreaks nur die Bauernhöfe überfallen, die weiter als zehn Kilometer vom Lager entfernt waren, um die allgemeine Sicherheit nicht zu gefährden. Es gab eine gemeinsame Küche, einen Keller für Lebensmittelvorräte, der durch den ständigen Zufluss neuer Leute nie leer wurde. Jeden Tag meldete sich ein Freiwilliger zum Holzhacken. Am Feuer kochte in einer riesigen Wanne rund um die Uhr eine so genannte »Waldsuppe«, die aus den kulinarischen Eroberungen des Tages bestand: eine Wundersuppe, die jeden Tag anders schmeckte. Auch die Frage, wie man es hinkriegt, dass sich jeden Tag jemand freiwillig zum Kochen oder Holzfällen meldete, obwohl eigentlich jeder den ganzen Tag am See verbringen wollte, beantwortete sich schnell. Nach ein paar Tagen verspürte auch ich große Lust, Holz zu hacken und ein bisschen was zu kochen. Die Arbeit im Wald schmeckte genau so gut wie die Suppe. Nachts saßen Dutzende Menschen am Lagerfeuer. Jemand spielte Musik, die Narks schweiften mit ihren Sonnenbrillen in der Umgebung herum, die Sektenanhänger trieben unauffällig ihre religiöse Propaganda weiter, und die Indianer schauten schweigend in die Flammen.

Auf der anderen Seite des Flusses war eine Armeeeinheit stationiert, eine Panzerdivision. Ein Schuss aus der Panzerkanone, der immer pünktlich um neun Uhr früh erfolgte, diente als Wecker für diejenigen, die früh aufstehen mussten. Die Soldaten kamen oft mit einem kleinen Boot zu uns herüber. Sie brachten kistenweise Fleischkonserven und Brot mit, saßen am Feuer und warteten auf das Ende ihrer Dienstzeit. Die Indis, alle überzeugte Pazifisten, griffen die Soldaten ständig mit aggressiven Sprüchen an:

»Wir sind für den Frieden, wir sind gegen den Krieg.«

»Wir doch auch«, verteidigten sich die Soldaten müde.

»Dann vergrab doch dein Maschinengewehr.« Die Indianer ließen nicht locker.

»So was haben wir doch gar nicht, nur Panzerkanonen«, lachten die Soldaten.

Einmal kam es jedoch zur einer echten Auseinandersetzung, als das Heiligtum der Krischnaiten, das große Mahabharata-Buch, zerstört wurde. Sie erklärten daraufhin den Indis den Krieg, obwohl die Vernichtung der Reliquie gar nicht böse gemeint war. Der Regen war schuld. Es war nämlich so: In der Nähe des Lagerfeuerplatzes standen zwei große, einsame Bäume. An einen Baum wurden von den Neuankömmlingen immer die Zigarettenschachteln zur allgemeinen Verwendung aufgehängt, am anderen Baum hingen Brötchen. Dementsprechend hießen die Bäume auch der Zigarettenbaum und der Brotbaum. Mitte August kam plötzlich ein Gewitter auf, drei Tage und drei Nächte regnete es. Alle verkrochen sich in den Zelten. Es wurde nicht mehr gekocht, und niemand saß mehr am Feuer. Als die Sonne wieder schien, waren beide Bäume leer: Die Zigaretten wie auch die Brötchen hatten sich in der Nässe vollständig aufgelöst. Wegen der Brötchen machte sich niemand Sorgen, doch ohne Zigaretten war schon nach wenigen Stunden die Hölle los. Besonders unter den Indis gab es viele leidenschaftliche Raucher. Und die Lagerkasse war wieder einmal gerade leer. So machten sich etliche auf die Suche nach rauchbarem Zeug. Mit Erfolg: Nachdem sie den Lebensmittelkeller auf den Kopf gestellt hatten, fanden sie dort eine Plastiktüte voll mit litauischem Machorka, der dort seit mehreren Wochen in einer Ecke lag. Nun brauchte man Papier. Doch ein Stück Papier im Lager zu finden war noch komplizierter, als den Tabak aufzutreiben. Die paar nassen Hefte und Zeitungen, die herumlagen, waren schnell weggeraucht. Auf der Suche nach einer Lösung versuchten manche sogar, ihre Zigaretten mit Baumrinde zu drehen; es ging aber nicht gut.

Dann entdeckte man plötzlich das große Mahabharata-Buch: ein tausend Seiten dicker Foliant in einem kugelsicheren Einband, der auf dem Küchentisch lag und durch den Regen nicht gelitten zu haben schien. Die Idos benutzten ihn, um die Indis von der Richtigkeit ihres Glaubens zu überzeugen. Das Buch enthielt viele eindrucksvolle Bilder, die zeigten, was einem alles passieren kann, wenn man nicht rechtzeitig die Wahrheit entdeckt. Mit zahlreichen Skizzen wurde in dem Buch geschildert, wie ein Mensch sich in einen Baum und dann sogar noch weiter in ein Schwein verwandeln konnte. Die Indis dachten, wenn man ein paar Phasen dieser Verwandlung aus dem Buch herausriss, würde es nicht groß auffallen. Schnell hatten sie zwanzig Seiten weggeraucht. Am ersten Tag merkten die Idos noch nichts. Doch am nächsten und übernächsten Tag wurde das Buch immer dünner. In drei Tagen hatten die Indis das komplette Mahabharata-Buch aufgeraucht, nur der schwarze Umschlag mit den goldenen Buchstaben lag noch auf dem Küchentisch.

Der Zorn der Idos kannte keine Grenzen. Sie verzichteten auf das gemeinsame Essen und erklärten den Indis den Kalten Krieg mit einer abschließenden Eskalation: Sie versuchten sogar, die Soldaten aus der Panzerdivision auf ihre Seite zu ziehen, damit sie ein paar Schüsse auf den Zeltplatz der Indianer abfeuerten. Erst nach zwei Wochen und dank der abenteuerlichen Beschaffung eines neuen Mahabharata-Buches aus Riga war die Sache wieder aus der Welt.

Eines Tages traf ich am Feuer die Eltern, deren Tochter abgehauen war. Sie hatten sie zwar auch in diesem Lager nicht gefunden, aber in der Hoffnung, dass sie vielleicht noch hier aufkreuzen würde, hatten sie beschlossen, noch zu bleiben. Sie fanden Unterkunft bei einem Mann aus Charkow, den alle Biber nannten. Er lebte allein in einem großen Armeezelt für acht Personen. Keiner wollte zu ihm ziehen, weil Biber ein Besessener war, ein Anhänger des Voodookultes und Besitzer von drei menschlichen Schädeln. In seiner Heimatstadt Charkow wurde er als einziger Voodoopriester in der ganzen Gegend von seinen Mitbürgern nicht als religiöse Minderheit anerkannt und bekam regelmäßig Prügel. Bei den Idos wurde er natürlich sofort aufgenommen. Doch wegen seiner eindeutig übertriebenen Spiritualität wollte niemand lange etwas mit ihm zu tun haben. Die Eltern der verschollenen Tochter kamen jedoch ganz gut mit dem Mann zurecht und halfen ihm sogar bei seinen spirituellen Experimenten. Der Biber seinerseits versuchte mit seinen Voodoofähigkeiten, ihre Tochter wiederzufinden.

Katzman und ich verbrachten drei Monate in dem Lager. Oft gingen wir zusammen mit den Mädchen, die wir am ersten Tag kennen gelernt hatten, und ihren beiden Hunden, Yoko und Janis, drei Kilometer durch den Wald ans Baltische Meer. Ich hatte Angeln gebastelt und fing sogar ab und zu Fische damit. Gauja wirkte auf uns wie ein Paradies, wie Kommunismus ohne Phrasen. Unterdes ging der August zu Ende. Die Fanatiker unter den Idos und die widerstandsfähigsten Indis bereiteten sich auf einen Winter im Wald vor. Sie träumten von Zelten mit Fellboden und Thermoschlafsäcken, die es bei uns jedoch nicht gab. Kazman und ich fuhren per Anhalter nach Moskau zurück. Auf dem Riskij-Bahnhof angekommen, stellten wir fest, dass wir in den ganzen drei Monaten keine einzige Kopeke ausgegeben hatten: Mit zwei Groschen waren wir fortgefahren, mit denselben zwei Groschen kamen wir wieder nach Moskau zurück. Schnell kauften wir uns davon zwei Fahrkarten und tauchten in den unterirdischen Röhren der Moskauer Metro unter.

Der Fahneneid

»Jungs! Die Zeit ist gekommen, eurer ehrenvollen Pflicht zur Verteidigung der Heimat nachzukommen«, sagte der Bezirkskommissar auf dem Wehrdiensterfassungsamt.

»Ich werde den Fahneneid niemals ablegen«, sagte mein Freund Katzman.

»Die Armee ist deine einzige Chance, in die Kommunistische Partei reinzukommen, zeig dich als guter Soldat«, riet mir mein Vater.

»Nicht du gehst zur Fahne, sondern die Fahne kommt zu dir«, klärte der Bezirkskommissar Katzman auf.

»Die Armee ist keine Beschäftigung, sie ist eine Geschlechtsorientierung«, meinte mein Nachbar, der Exoffizier. »Sie wird aus dir einen echten Mann schmieden, du wirst von den Mädels geliebt werden.«

»Du wirst dort täglich in den Arsch gefickt«, meinte mein Freund Katzman dazu.

Diese Diskussion brach im Winter 1986 unerwartet aus. Weder ich noch Katzman hatten vorgehabt, jemals zur Armee zu gehen, wir hatten uns alle dafür nötigen Aufschubbescheinigungen längst besorgt. Doch im Jahre 1986 änderte sich unsere Lebenssituation schlagartig. Immer mehr wurden wir von Birkenmännern verfolgt. Fast alle jungen KGB-Praktikanten aus der Abteilung zur Jugendverfolgung trugen aus unerfindlichen Gründen hellgraue Anzüge und Mäntel, die ständig vom Moskauer Matsch befleckt waren. Außerdem traten sie stets in Gruppen auf. Auf der Straße sahen diese Leute deswegen birkenartig aus, und so nannten wir sie Birkenmänner. Die in Zivil herumlaufenden Beamten konnte man auch daran erkennen, dass sie alle einen Abdruck von ihrer Mütze am Hinterkopf hatten, da sie vor dem KGB jahrelang die Milizschule besucht hatten, in der das Tragen einer Mütze Pflicht gewesen war.

Katzman und ich organisierten damals noch immer jeden Monat Undergroundkonzerte mit dreißig bis vierzig Jugendlichen und ein paar Musikern in einer Wohnung. So eine Party allein bedeutete noch keinen Gesetzesbruch. Aber wir kassierten Eintritt und zahlten die Musiker aus. Das war eine illegale Geldbeschaffungsmaßnahme und schlimmer als klauen. Das grausame Schicksal eines unserer Vorbil-

der, des Gitarristen Sapunow, der für den Auftritt seiner Band eigenhändig Geld kassiert hatte und dafür
fünf Jahre in den Knast musste, schreckte uns nicht.
Erstens waren wir noch zu jung und leichtsinnig, um
richtig Angst zu haben, zweitens wurden solche Straf-
taten gerade neu bewertet. Immerhin lebten wir in
der Zeit der Perestroika. Ein Freund von mir, der
1984 mit einer Streichholzschachtel voller Gras auf
der Straße erwischt worden war, hatte dafür glatt fünf
Jahre Knast bekommen, ein anderer Freund wenig
später für dieselbe Straftat nur zwei Jahre auf Bewährung. 1986 wurden viele Paragraphen im Strafgesetz-
buch geändert und ihr Inhalt abgemildert. So bekam
man zum Beispiel für die zwischenmännliche Liebe
laut Paragraph 121 nur noch lausige anderthalb Jahre
statt wie bisher zehn.

Voller Hoffnung auf eine bessere Gesellschaft
machten wir also mit den Konzerten weiter. Aber
auch die Birkenmänner mischten sich nach wie vor
unter unser Publikum und versuchten, uns bei der
Geldübergabe zu erwischen. Wir erkannten sie aber
und kassierten einfach keinen Eintritt. Doch auf
Dauer wurde dieses Katz-und-Maus-Spiel zu anstrengend. Unsere Lieblingsbeschäftigung wurde unter solchen Umständen zur Last, Katzman litt bereits
unter Verfolgungswahn und traute sich bei Tageslicht

nicht mehr aus dem Haus. Außerdem hatten wir zufällig einige politisch unkorrekte Veranstaltungen organisiert, unter anderem den verfluchten Todestag von John Lennon, den wir draußen gefeiert und der sich schnell in eine Schlägerei mit den Birkenmännern und einigen anderen seltsamen Straßengestalten verwandelt hatte, darunter einem alten Mann, der zufällig mit eine Kettensäge vorbeigekommen war. Das war eigentlich das Ende. Wir wurden von der Staatsmacht vor die Wahl gestellt: Entweder wir gingen freiwillig zur Armee oder wir gingen unfreiwillig hin.

Verzweifelt schlug mein Freund Katzman eine radikale Lösung, die Selbstverstümmelung, vor. Ich war eher für eine mildere Variante und suchte im Medizinbuch danach. Unser erster Versuch, mit Hilfe eines Teelöffels, eines Kopfkissens und eines Joints eine Gehirnerschütterung zu simulieren, schlug fehl. Obwohl wir beide genauso aussahen, wie es über gehirnerschütterte Menschen im Buche stand, wurden wir von den Ärzten in der Notaufnahme ausgelacht. Es war der 15. Dezember, noch zwei Wochen bis zum Ende der Wintereinberufung, und das Krankenhaus war rappelvoll mit verzweifelten Jungs. In jener Nacht erfuhren wir dort die traurigste Verstümmelungsgeschichte, die in unserer Gegend jemals passiert ist.

Auf dem Korridor bat uns ein Junge um eine Zigarette. Er sah sehr robust, aber auch traurig aus. Am nächsten Morgen sollte Vadim, so hieß er, aus dem Krankenhaus entlassen werden – zur Armee. »Ich kann es nicht fassen«, meinte er. Als frisch Verliebter konnte Vadim es sich einfach nicht leisten, seine Freundin, deren Herz er nach jahrelangem Anbeten endlich erobert hatte, für eine Ewigkeit wieder allein lassen zu müssen. Seine Freundin hatte ihm auch ganz ehrlich gesagt, dass sie für nichts garantieren könne, wenn er so lange wegbliebe. Vadim überlegte kurz und beschloss, sich den rechten Zeigefinger abzuhacken. Die Liebe fordert manchmal Opfer. Seine Freundin fand den Plan absolut heldenhaft und versprach, ihm bei der Ausführung zu helfen. Sie kannte einen dafür passenden Ort im Wald, in der Nähe der Datscha ihrer Eltern.

Sie fuhren zusammen hin, mit einer Flasche Wodka und einer Axt. Im Wald nahm Vadim zur Selbstermutigung einen großen Schluck, den letzten Rest Alkohol spritze er auf seine rechte Hand, dann legte er sie auf einen Klotz und hackte sich den Zeigefinger ab. Danach machte ihm seine Freundin einen liebevollen Verband, sie vergruben den Finger unter dem Klotz und gingen zur Datscha. Aber die Hand blutete immer stärker, irgendwann wurde Vadim ohnmächtig, und seine Freundin rief den Notarzt an. Zwei Stunden später kam Vadim im Krankenhaus wieder zu sich. Die Ärzte und die herbeigerufene Miliz unterzogen ihn einem Verhör. Sie wollten wissen, wo er seinen Finger gelassen hatte. Vadim schwieg wie ein Partisan in Gestapohaft. Danach wurde seine Freundin vernommen, und sie gab schließlich das Versteck preis. Der Rettungswagen fuhr noch einmal los, fand den Klotz, grub Vadims Finger aus und brachte ihn ins Krankenhaus.

Obwohl es eigentlich schon viel zu spät war, nähten die Zauberärzte den Finger wieder an. Nach drei Tagen sah Vadims Hand wieder wie neu aus. Doch der Finger schien nun länger als früher zu sein. Außerdem hatte der Fingernagel eine ganz andere Form. Vadim verdächtigte die Ärzte, unter dem falschen Klotz im falschen Wald fündig geworden zu sein. Doch seine Freundin, die mitgefahren war, versicherte ihm, dass sie an der richtigen Stelle gegraben hätten. Es hätte höchstens sein können, dass unter dem besagten Klotz mehrere Finger vergraben worden waren, immerhin war der Platz zum Fingerabhacken ideal. Vadim gelangte zu der Überzeugung, dass man ihm den Finger eines anderen Wehrdienstverweigerers verpasst hatte. Die Ärzte sagten zwar, dies sei unmöglich, wegen der Blutgruppe und so weiter, trotzdem hatten sie in dem Kühlschrank eine ganze Tüte mit eingefrorenen Fingern versteckt. Wozu?

Vadims Wunde heilte so schnell, dass er durch die Selbstverstümmelung nicht einmal einen Aufschub des Militärdienstes erreicht hatte und nun einrücken musste. Wir wollten unseren neuen Freund wegen seiner haarsträubenden Geschichte schon auslachen, da zeigte er uns seinen Zeigefinger – und der war wirklich deutlich länger als die anderen. Er passte auch farblich irgendwie nicht. »Tolles Ding«, scherzte Katzman, um Vadim ein wenig aufzubauen. »Mit dem kannst du gut angeln gehen…« Aber Vadim war nicht zu Späßen aufgelegt und wir eigentlich auch nicht…

»Ich gehe zur Armee. Was soll's, schlimmer als bei Vadim kann es nicht kommen«, dachte ich und verkündete meinen Entschluss zu Hause.

»Ich komme mit«, erwiderte mein Vater sofort. »Ich lasse nicht zu, dass du in eine falsche Einheit gerätst und womöglich am Nordpol die Eisbären fütterst oder in Usbekistan an der afghanischen Grenze schmorst.«

Am 24. Dezember um 8.00 Uhr morgens betraten wir die Moskauer Meldestelle und wurden zusammen mit ein paar hundert anderen Jungs in der ersten Etage in einem großen Saal zusammengepfercht.

Mein Vater hatte eine Aktentasche dabei, in der sich zwei große Flaschen Spiritus und hundert Gramm Konfekt zum Naschen befanden. Damit ging er durch das fünfstöckige Haus, auf der Suche nach den richtigen Leuten, um mein Schicksal in die richtigen Bahnen zu lenken.

Ich blieb unten im Wartesaal auf einer Bank sitzen. Jede Minute strömten neue Rekruten aus den verschiedensten Moskauer Bezirken herein. Gleichzeitig liefen die so genannten Käufer durch den Saal – wie Vampire auf der Jagd nach frischem Blut. Die meisten Offiziere waren von weit her gekommen, um sich mit neuen Soldaten einzudecken. Natürlich waren sie in erster Linie auf große, kräftige Jungs scharf. Doch fast alle Rekruten im Saal sahen übel aus. Sie hatten eine lange Abschiedsfeier hinter sich und brauchten dringend ein Bier.

Nach vier Stunden Sitzen auf dem Sklavenmarkt lockerte sich die Atmosphäre langsam auf. Die meisten Käufer hatten ihren Blutdurst gestillt und waren gegangen. Wir Übriggebliebenen durften nun einen Imbiss im zweiten Stock zu uns nehmen. Auf der Treppe traf ich meinen Vater. Er war sturzbetrunken und hatte seine Aktentasche nicht mehr bei sich, war aber immer noch auf der Suche nach dem richtigen Ansprechpartner.

»Alles wird uns gelingen«, versicherte mir mein Vater und trampelte die Treppen weiter runter.

Ich kaufte mir zwei Buletten und eine Flasche Mineralwasser. Am Abend, als ich mir schon im großen Saal einen Platz zum Schlafen suchen wollte, wurde ich plötzlich zusammen mit fünf anderen von einem Major aufgerufen.

»Ihr kommt jetzt mit«, sagte er zu uns und lächelte milde.

Er roch nach dem Spiritus meines Vaters.

»Das ist ein gutes Zeichen«, machte ich mir Mut.

Wir verließen das Haus und gingen unserem ungewissen Schicksal entgegen – zu einer Straßenbahnhaltestelle.

»Ihr habt ein Riesenglück, Jungs«, sagte der Major zu uns, »wir fahren nun zur Armee. Wisst ihr, wie man zur Armee fährt?«

»Jawohl, Genosse Major«, meldete sich sofort eine junge Stimme.

»Oh, ein Klugscheißer«, wunderte sich der Major. »Woher willst du wissen, Soldat, wie man zur Armee fährt, wenn du dort noch nie warst?«

»Na ja«, antwortete der Junge, »ich dachte wir fahren mit der Bahn oder mit dem Flugzeug…«

»Tatsächlich, ein Klugscheißer«, wiederholte der Major, als ob er es kaum fassen könnte. »Zur Armee fährt man in einer Reihe, während der Fahrt bleibt man still und guckt gerade auf den Hinterkopf des vor einem stehenden Soldaten. Über Flugzeuge unterhalten wir uns später. Wenn einer Fragen hat, darf er mich ansprechen, und sagen: ›Genosse Major, darf ich eine Frage stellen?‹ Alles klar?«

»Genosse Major, darf ich eine Frage stellen?« Es war wieder der Junge, der alles wusste.

»Wie ist dein Name, Soldat?«, schrie der Major auf.

»Andrej.«

»Ich erteile dir Sprechverbot bis zum Ende deiner Dienstzeit, Soldat Andrej. Und jetzt in einer Reihe aufstellen, in die Straßenbahn, marsch!«

Der Major setzte sich nach vorne, auf dem Schoß hatte er einen Karton, in dem unsere Papiere lagen. Wir verteilten uns gleichmäßig im Waggon. Die Straßenbahn war an diesem späten Abend leer, außer uns fuhr niemand mit. Wir warfen verzweifelte Blicke durch die zugefrorenen Fenster. Mir kam alles irreal vor: die mit Schnee bedeckte Stadt, der lustige Glatzkopf des Majors, der uns ständig anlächelte und mit den Augen zwinkerte, die ganze Rekrutenbande mit ihren schlaffen Rucksäcken.

»Wladimir, du stehst am Anfang deines größten Abenteuers«, sagte ich leise zu mir selbst. An der Endstation wartete ein Militärfahrzeug auf uns, ein

riesiger Lkw. Die beiden Fahrer, altgediente Soldaten, guckten uns neugierig an und lächelten freundlich. Der Major musste pinkeln. Er rief mich aus der
Reihe und reichte mir den Karton. »Halt mal, Soldat«, sagte er und verschwand hinter dem Busch. Ich
war stolz, dass er gerade mich ausgewählt hatte. Damals konnte ich noch nicht wissen, dass das Halten
dieses Kartons meine erste und letzte verantwor-
tungsvolle Aufgabe in der Armee sein sollte. Ich
wurde als Einziger nie befördert.

Wir erklommen die Ladefläche und setzten uns.
Der Lkw fuhr mehrere Stunden durch den Wald. Uns
fror der Hintern ab. In der Nacht erreichten wir ein
Militärgelände, das mitten im Wald stand und aus
wenigen Häusern bestand. Der Major führte uns in
eine von drei Baracken, wo wir schlafen sollten. Trotz
Hunger und Kälte waren wir von unserem Abenteuer
immer noch begeistert.

»Dreißig Sekunden zum Ausziehen und keinen Ton
mehr«, brüllte der Major.

Eine Minute später ging das Licht aus. Mein Bett
stand neben dem von Andrej. Wir lagen in der Mitte
eines riesigen Saales, dessen Ausmaße wir nicht einmal richtig sehen konnten. Die Armeedecken waren
schwer, stachelig und die Kopfkissen mit stinkendem
Stroh gefüllt.

»Cool«, flüsterte Andrej mir zu.

»Ja«, bestätigte ich.

»Wann, denkst du, kriegen wir Gewehre?«, fragte er leise.

»Morgen, wahrscheinlich.«

»Schnauze!«, rief der Major aus der Dunkelheit.

Trotz der Müdigkeit konnten wir in dieser Nacht vor Aufregung kaum einschlafen. Um sechs ging das Licht an. »Aufgestanden!«, rief der uns schon bekannte Major. Er war frisch rasiert und sah erholt aus. Wir schauten uns um. Unsere Baracke war ein Schlafraum mit zwanzig Betten, die in der Mitte zusammengestellt waren. Von den Wänden durchbohrten uns die vier letzten Generalsekretäre der KPDSU mit Blicken: Andropow ernst und böse, Breschnew müde und frustriert, Tschernenko freundlich und abwesend, Gorbatschow wie der Weihnachtsmann mit einer dicken Überraschung hinter dem Rücken. In einer Ecke stand ein Fernseher, in einer anderen ein zwei Meter großes Gerät aus Holz, das einer kaputten Schaukel ähnlich sah. Wir stellten uns in Reih und Glied auf.

»Ein großer Tag in eurem Leben ist gekommen – der erste Tag in der sowjetischen Armee. Zieht eure Klamotten aus, ihr kriegt eine Uniform. Die Klamotten könnt ihr in Pakete packen und nach Hause schicken oder einfach auf den Hof werfen, dann werden sie verbrannt.« Hinter diesem freundlichen Angebot erkannte ich eine Falle. Durch viele Begegnungen mit Polizisten und KGBisten wusste ich, dass die Uniformierten sich gerne gutmütig und großzügig gaben, um ihre Opfer zu überrumpeln. In einer solchen Situation musste man sich immer für die schlechtere Variante entscheiden. Zusammen mit zwei anderen Rekruten beschloss ich also, meine Zivilkleidung zu verbrennen. Und das war gut so. Denn alle anderen, die ihre Sachen unbedingt nach Hause schicken wollten, rannten eine Stunde später halb nackt auf der Suche nach einer Poststelle draußen herum und wurden von den Altgedienten ausgelacht.

Wir drei, Andrej, Grischa und ich, saßen stattdessen in schönen neuen Uniformen in der Kantine und genossen das Frühstück. Es gab Weißbrot, dazu eine Menge Formbutter-Stückchen und einen Eimer voll Kartoffelpüree. Im warmen Püree schwamm irgendetwas herum. Zuerst dachten wir, es sei Fleisch und versuchten das Stück herauszulöffeln. Aber dieses »Fleisch« bewegte sich im Püree hin und her, tauchte unter und verursachte dabei Luftblasen an der Oberfläche. »Es lebt«, sagte Andrej erstaunt. »Was kann in einem gerade gekochten Kartoffelpüree überleben?« Wir wussten es nicht. Den Koch zu fragen, war uns zu einfach. Wir wollten alles selbst rauskriegen – aus eigener Armeeerfahrung. Um uns dann vielleicht eines Tages hier im Wald so sicher zu fühlen wie dieses Vieh im Kartoffelpüree. Wir wollten über alles Bescheid wissen, echte Soldaten sein.

★★★

Langsam erfuhren wir erste Einzelheiten. Wir befanden uns im so genannten Dritten Abwehrring des Moskauer Verteidigungskreises. Unsere Einheit bestand aus drei Raketen, einem Radargerät, dreißig Soldaten und vier Offizieren. Das Ganze nannte sich »Belka Raketenkomplex« und diente zum Abschießen tief fliegender Ziele, genauer gesagt eines einzigen Ziels – sei es ein Bomber oder eine Rakete. Der Belka-Raketenkomplex funktionierte ziemlich einfach. Wenn auf dem Radarschirm ein Ziel erschiene, müssten wir es mit unseren drei Raketen abschießen, die auf Lkws montiert etwa fünf Kilometer entfernt um uns herum im Wald standen. Eine würde von links, eine von rechts und eine zur Sicherheit aus der Mitte losgehen. Was danach geschähe, sollte uns egal sein, denn die Lebensdauer unseres Komplexes im Falle eines Angriffes betrüge exakt dreizehn Sekunden. Ob wir das Ziel trafen oder nicht, wir würden auf jeden

Fall mit draufgehen, das war der Nachteil bei der Beseitigung zu tief fliegender Ziele. Der Vorteil dieses Dienstes war, dass es praktisch keine fliegenden Ziele gab, nicht einmal Vögel. Sie mieden unser Radargerät weiträumig, wegen seiner Ausstrahlung hoher Frequenzen.

Der Himmel schien glasklar zu sein. Aber alle Soldaten befanden sich im Kriegsdienst, wie bei der Grenzkontrolle. Sie schoben pausenlos Wache, und nichts durfte sie vom Starren auf den Radarschirm ablenken. Alle anderen Tätigkeiten waren verboten. Außer Schlaf und Ernährung. Man durfte auf keinen Fall länger als zwölf Stunden vor dem Radarschirm sitzen. Sonst bekam man Krämpfe und brachte dadurch die Sicherheit der Hauptstadt in Gefahr. Die meisten Soldaten stammten aus Moskau oder anderen Großstädten Russlands, es waren keine Bauern, sondern eher Punker und Heavymetalfans, also ein intelligentes Publikum. Einige hatten wichtige Eltern. Da gab es zum Beispiel die Zwillinge des sowjetischen Botschafters in Kolumbien, den Sohn des berühmten Fliegers, des doppelten Helden der Sowjetunion Arkadij Choroschko und reichlich Nachwuchs von anderen Helden. Anscheinend hatte mein Vater damals doch noch die richtigen Gesprächspartner gefunden.

Unsere Einheit teilte sich in zwei Schichten, die sich alle zwölf Stunden abwechselten. Zu jeder Schicht gehörte ein Offizier als Entscheidungsbefugter, sechs starke Männer zum Drehen des Radarkranzes, ein Auswerter, der vor dem Bildschirm saß, drei Melder für die drei Radiorelais, drei Raketenbedienungen, die auf den Lkws saßen, und ein Außenposten, der mit einem Gewehr fünf Meter vor dem Bunker unter einem Baum stand und sich im Falle eines Bodenangriffs möglichst laut wehren sollte, damit wir im Bunker rechtzeitig die Tür von innen verriegeln konnten. »The Man with a Gun«, wie wir ihn nannten, war der blödeste Posten von allen. Selbst die Jungs, die das Radar drehten, profitierten noch von diesem Stumpfsinn – sie stärkten zumindest ihre Muskeln, während der Mann unterm Baum sich nur sinnlos die Nase abfror. Ich genoss eine Schnellausbildung zum Radiorelaismelder und durfte daher schon nach zwei Monaten zusammen mit anderen Soldaten Wache schieben. Wir bildeten ein Team. Es waren immer dieselben Jungs, nur die Offiziere wechselten sich jeden Tag ab. Der eine war ein Säufer, der andere schwul, der dritte ein Karrierist und der vierte ein Komiker. Letzterer war der Offizier, der uns in den Wald gebracht hatte. Normalerweise verlief unsere Wache ziemlich ruhig. Der Säufer brachte immer ein paar Flaschen zu trinken mit, und der Schwule trug lustige Perücken. Alle Offiziere waren nämlich glatzköpfig, wegen der Radarstrahlung. Der Komiker erzählte uns abgedroschene Armeewitze, und der Karrierist starrte unentwegt auf den Radarschirm.

Bis eines Tages im Juni die berühmte Cessna von Mathias Rust auftauchte und uns alle zum Narren hielt. Es war wie im Krieg, keine Schichtdienste mehr, sondern vierundzwanzig Stunden volle Einsatzbereitschaft. Eine ganze Woche lang machte Mathias Rust mit uns, was er wollte. Mal verschwand er vom Radarschirm, dann tauchte er wieder auf, aber wir wussten nicht, ob es dasselbe Flugzeug war oder nur ein betrunkener Kolchosvorsitzender, der zu seiner Tante flog. Im russischen Luftraum wimmelte es damals von kleinen Flugzeugen ohne Funkgerät, weil solch ein Gerät im Flugzeug so etwas Ähnliches wie ein Radio im Auto war, nämlich ein Luxusteil, das gerne geklaut wurde, für Haus, Hof und Garten.

Mathias Rust wurde zu unserem Verhängnis. Er landete mehrmals. Wir saßen vor dem Radarschirm, ohne Frühstück, ohne Zigaretten, und irgendwo da draußen in den unendlichen Kartoffelfeldern Russlands saß der Deutsche und bediente sich mit russischem Benzin. Der Säufer hatte Glück. Kurz bevor Rust auftauchte, wurde er für zwei Wochen vom

Dienst suspendiert, wegen eines kleinen Brandes, den er im Offiziersaufenthaltsraum veranstaltet hatte. Er hatte im Dunkeln nach einer Flasche mit hochprozentigem Alkohol gesucht und dabei Streichhölzer benutzt. Die Flasche war umgekippt, und er wäre in den Flammen beinahe ums Leben gekommen. In der Nähe von Jaroslawl verschwand die Cessna wieder, erst zwei Tage später tauchte sie auf dem Radarschirm wieder auf. Wir schoben pausenlos Wache, Rust kreiste um uns herum. Der Komiker sagte: »Das ist ein fliegender Schnapsladen, der umkreist genau die Gebiete, wo sie Versorgungsprobleme mit Schnaps haben.«

Der Schwule hatte Dienst, als Rust nur noch hundert Kilometer von unserem Posten entfernt war. Er wurde immer nervöser, konnte die ganze Nacht nicht ruhig sitzen und schwitzte dabei wie eine Sau. Der Karrierist dagegen bewahrte Ruhe. In der Nacht, als er Dienst hatte, flog Rust direkt über unsere Köpfe weg. Man brauchte kein Radar mehr, um ihn zu sehen. Der Karrierist schlug die Dienstvorschriften auf, wo stand: »Bei jeder Panne zuerst den Vorgesetzten informieren.« Der Karrierist griff zum Telefon und meldete den Vorfall dem Divisionsstab. Der Dienst habende Stabsoffizier rief den Korpskommandanten an, der wiederum seinen Vorgesetzten benachrichtigte, und so lief es immer weiter, bis Rust auf dem Roten Platz landete. Daraufhin sagte der damalige Marschall der Flugabwehrkräfte Archipow: »Ich führe eine Armee, die aus unfähigen, karrieresüchtigen Idioten besteht, die sich jeder Verantwortung entziehen« – und erschoss sich. Es kam zu einer Kettenreaktion, zu einer Serie von Selbstmorden bis hinunter zum Stabsoffizier. Unser Säufer sagte: »Schade, dass ich in der Nacht nicht am Hebel saß. Den Spinner hätte ich sofort vom Himmel gepustet, ohne den lieben Gott um Erlaubnis zu fragen.«

Nach diesem Vorfall verloren viele Offiziere ihren militärischen Schneid und wurden nachdenklich. Der neue Marschall der Abwehrkräfte kündigte kurzerhand eine totale Perestroika für alle Belka-Raketenkomplexe an. Anstatt mit drei, mussten sie nun mit fünf Raketen ausgerüstet sein. Ein Komitee sollte alle Einheiten rund um Moskau prüfen, um weitere Provokationen zu vermeiden. »Ich mach euch Feuer unterm Arsch«, musste der neue Marschall auf einer Sondersitzung zu den Offizieren des Dritten Abwehrrings gesagt haben. Wegen Rust fiel unser Ring in Ungnade, auf einmal war er dem Marschall nicht rund genug. Man erzählte sich, manche Einheiten seien bereits mit ihrem gesamten Personal nach Kasachstan in die Steppe verbannt worden. Im Gegenzug kamen nun Rekruten aus Kasachstan, Usbekistan und Tadschikistan in unsere Moskauer Urwälder. Viele von ihnen konnten nicht richtig Russisch.

Speziell bei unserer Einheit trafen die Kommandeure eine salomonische Entscheidung. Ein Bus voller Kasachen und Tadschiken sollte unsere Einheit verstärken. Drei neue Bäume wurden rund um den Bunker gepflanzt und drei neue Außenposten errichtet. Aber wir blieben ebenfalls, weil die Neuankömmlinge mit der Technik nicht gleich klarkamen. Unsere vier Offiziere wollten auch eine Veränderung initiieren, sie waren sich nur nicht einig, was man verändern sollte.

Die erste Initiative kam von dem Schwulen. »Wir müssten asphaltieren«, meinte er. Nicht alles, aber zumindest eine kleine Chaussee durch den Wald wäre nicht schlecht. Gesagt – getan. Die Offiziere trieben irgendwo einen Lkw mit zehn Tonnen warmem Asphalt auf. Erst als der Lastwagen bei uns ankam, stellten sie fest, dass die Sache mit dem Asphaltieren doch nicht so einfach war. Wir befanden uns nämlich mitten in einem Sumpf. Außerdem zogen am Himmel gerade Wolken auf, es fing an zu regnen, und keiner hatte mehr Lust zum Asphaltieren. Aber das Zeug war nun mal da. Und so entstand auf unserem Gelände ein neues Militärobjekt, das später den Namen »Kaukasus« bekam: ein Berg aus getrocknetem Asphalt, der eine Weile als Einsatzort für unseren vierten Außenposten diente. »Willst du heute den Kaukasus hochklettern?«, fragte der Dienst habende Offizier, wenn er einem von uns Angst einjagen wollte. Damit war aber der Veränderungswille noch nicht erloschen.

***

Eines Tages kam der Komiker zu meiner Relaisstation und fragte, wie lange ich noch in diesem Sumpf vegetieren wollte. »Anderthalb Jahre«, antwortete ich ehrlich. »Lass uns hier etwas bewegen, lass uns aus diesem Sumpf ein Paradies machen.« Ich bekam sofort schlechte Laune, weil ich wusste, was das hieß – im Wald etwas bewegen. Das Paradies stellte sich der Mann folgendermaßen vor: Wir sollten einen Brunnen graben, ihn mit Wasser füllen, dann Bänke in den verschiedensten Formen aus Holz bauen und sie rund um den Brunnen aufstellen. Im Brunnen sollten sodann einige Schwäne herumschwimmen, die er irgendwo besorgen wollte. Es war allen unklar, wie sich dadurch die Einsatzbereitschaft unserer Einheit erhöhen sollte, doch wir waren nur Soldaten. Und so fingen wir am nächsten Tag an zu graben. Der Brunnen füllte sich von selbst mit Wasser, je tiefer wir gruben. Ein Baum, den wir zersägt hatten, bildete eine Natur-Bank in unmittelbarer Nähe des Brunnens. Doch mit Schwänen klappte es nicht, nicht einmal ein paar Enten konnte der Komiker auftreiben. Aber das Wasserloch zog schnell Riesenfrösche, Eidechsen, Schlangen sowie Blutsauger aller Art an. Die Soldaten und Offiziere mieden diesen Platz bald, obwohl er eigentlich als Erholungsort gedacht war. Ich musste jedoch ständig an dem Brunnen vorbeigehen, weil er sich auf dem Weg zu meiner Relaisstation befand. Oft beobachtete ich dort seltsame und schöne Naturereignisse. Einmal saßen auf der Holzbank zwei Riesenfrösche, eine Libelle, zwei Eidechsen, zwei Schlangen und noch ein kleiner Frosch nebeneinander und sonnten sich. Ich staunte. Ein paradiesischer Ursprung der Welt schien sich mir zu offenbaren.

Später fing ich eine Eidechse, präparierte sie und bemalte sie mit der grünen Farbe, mit der ansonsten einmal im Jahr die Raketen angestrichen wurden. Zwei Wochen später gelang es mir, eine weitere Eidechse zu fangen. Ich präparierte sie und malte sie ebenfalls grün an. Dann eröffnete ich im Hinterhof unserer Baracke eine Naturkundeausstellung. Zur Eröffnung kamen zwanzig Soldaten und der Dienst habende Offizier. Alle waren begeistert. Deswegen

wurde mir sogleich das Ehrenamt des stellvertretenden Vergnügungsorganisators übertragen. Zu meinen
Pflichten gehörte damit nun auch die musikalische
Gestaltung des Tages. In der Baracke hatten wir einen
alten »Heimat«-Plattenspieler und fünf Schallplatten.
Und ich allein entschied, welche Platte zuerst abge-
spielt werden durfte. Zu diesem Zeitpunkt kannten
die Soldaten das Repertoire schon lange auswendig
und hatten bereits eine sehr enge Beziehung zu dieser Musik entwickelt. Beim Aufstehen um sechs legte
ich die Gruppe »Rollende Steine« auf. Die Platte hieß
»Lass das Blut fließen« und wurde von mir als Weck-
musik und gleichzeitig als Stimmungsmuster für den
Anfang des Tages verordnet. »Nicht immer läuft alles,
wie du denkst«, schrie der Sänger, und zwanzig
Soldaten sprangen aus ihren Betten. »Nicht immer
kriegst du, was du willst«, rief der Sänger, und zwanzig Soldaten gingen zum Frühstück in den Speise-
saal.

Nach dem Frühstück spielte ich die Platte mit dem
roten Frauenbein auf dem Cover. Sie hieß »Rhythmi-
sche Gymnastik« und diente als Aufruf zu den Ar-
beitsmaßnahmen, die man sich seit dem Rust-Zwi-
schenfall ausgedacht hatte. Die weibliche Stimme
aus dem Lautsprecher klang sehr munter. Sie versprach Stärkung der physischen und geistigen Ge-

sundheit, gute Laune rund um die Uhr und eine Verbesserung der Figur für alle, die an die heilsame Kraft
der rhythmischen Gymnastik glaubten. Alle Übungen begannen mit dem Befehl: »Und…« Im gleichen
Rhythmus schoben meine Kameraden schnell den
Schnee vom Hof, richteten die Raketen neu auf und
machten die Baracke sauber.

Zu Mittag gab es immer Suppe. Danach saßen alle
im Hof herum, und ich wechselte die Platte. Für unsere Ruhestunden am Nachmittag hatte ich eine mit
meditativer Musik. »Stellen Sie sich vor«, so begann
eine tiefe männliche Stimme, »Sie sind im Wald.
Sie hören das Flüstern der Bäume und das Singen
der Vögel. Ihre Augen schließen sich. Sie sind ent-
spannt.« Zwei weitere Schallplatten, die ich abends
abspielte, waren von russischen Bands. Die eine hieß
»Rote Gitarren«: ukrainische Schlagermusik mit der
Sängerin Sofia Rotaru. Die zweite Band hatte den
Namen »Erdlinge« und spielte Heavymetal. Abends
saßen wir am Tisch, qualmten selbst gedrehte Zigaretten und zockten mit selbst gemachten Karten. Die
»Erdlinge« sangen: »Du schuftest und schuftest, gehst
müde ins Bett und träumst dann nicht von den Mädels, sondern vom grünen Gras, das im Garten deines Hauses wächst.«

Der Kommandeur unserer Einheit war ein Oberst,

den wir höchstens einmal in der Woche sahen. Er war fast zwei Meter groß und trug einen großen Schnurrbart. Man erzählte sich, dass der Mann als Jungoffizier eine glänzende Karriere vor sich gehabt hatte, doch dann sei ein tragischer Vorfall dazwischen gekommen: Er hatte nämlich aus Versehen eine Frau getötet. In einer Disko war während des Tanzens eine Schlägerei ausgebrochen, und der Offizier hatte versucht, die Ordnung wiederherzustellen. Er hatte seine Pistole gezogen und in die Luft geschossen, aber dabei eine junge Frau getroffen, die auf der Stelle tot war. Bei russischen Pistolen fliegen sehr oft die Kugeln in alle möglichen Richtungen. Zur Strafe wurden ihm sämtliche Karrieremöglichkeiten verbaut, und er musste bei uns im Wald verwildern. Ein Leben lang. Er führte ein bescheidenes Leben und war nach wie vor unverheiratet. Seine einzige Freude war eine russische Safari, die er jeden Winter veranstaltete. Im Wald konnte man oft wilde Hunde sehen, die nach Süden zogen. Auf diese Tiere machte unser Oberst Jagd. Betrunken befahl er seinem Fahrer, dem ältesten Sohn des sowjetischen Botschafters in Kolumbien, den Jeep voll zu tanken. Danach fuhren sie die ganze Nacht durch den Wald, und jedes Mal, wenn der Oberst irgendwelche Geräusche hörte, schoss er aus dem Fenster, ohne zu bremsen oder gar auszusteigen. Als geborener Krieger, traf er selbst bei so einer blinden Jagd fast immer irgendwas.

Ende Mai, wenn der Schnee im Wald schmolz, gingen wir los, um die Hundeleichen einzusammeln. Einmal fanden wir sogar ein totes Schwein. Wir dachten zuerst, es sei ein von unserem Oberst abgeschossenes Wildschwein. Seltsamerweise hing es an einem Ast im Baum. Wie kommt ein Schwein auf einen Baum?, überlegten wir. Später stellte sich heraus, dass einer unserer Kasachen das Tier aus dem Lebensmittellager geklaut und im Wald versteckt hatte. Obwohl die neu angekommenen Jungs bei uns zunächst wie Soldaten zweiter Klasse behandelt wurden, weil nur wenige von ihnen mit der Technik umgehen konnten, fanden wir schnell eine gemeinsame Sprache. Es gab natürlich ein paar Moslems dabei, die behaupteten, dass sie kein Schweinefleisch essen dürften und dass die Russen an allen Übeln der Welt schuld seien. Unser Schwein aus dem Lebensmittellager war nun ausgerechnet von einem dieser Extremisten geklaut worden. Es kam zu einer Prügelei, wobei dem Kasachen ein Eimer Kartoffelpüree über den Kopf gekippt wurde. Man verlegte ihn schließlich an einen anderen Stützpunkt. Die übrigen Kasachen, die bei uns blieben, waren offen und naiv, die Armee war ihr erster Ausflug aus dem Heimatdorf, für viele vielleicht auch der letzte. Wir wurden bald Freunde.

***

Bei dem eintönigen Leben im Wald kam mir die alte Leidenschaft, Geschichten zu erzählen, wieder zugute. Ich machte daraus einen Beruf, den eines Wahrsagers. Das heißt, ich las den Soldaten aus der Hand: das, was vergangen war und was noch auf sie zukommen würde. Und diesmal stimmte alles bis in die kleinsten Einzelheiten. Meine Autorität wuchs, und bald durfte ich mir ein gemütliches Wahrsagerbüro in der Baracke direkt unter dem Porträt von Gorbatschow einrichten. Abends ab 20.00 Uhr, wenn mein Wachdienst zu Ende war, hatte ich Sprechstunde. Als Lohn nahm ich nur Naturalien – Zigaretten, Schinken und Konfitüre. Die Erdbeerkonfitüre war die stärkste Währung, vergleichbar dem Gold in der Zivilwelt.

Zuerst ging ich ganz ernsthaft an das Wahrsagen heran. Ich legte Akten an, damit ich nicht durcheinander brachte, was ich zu wem gesagt hatte. Doch nach einer Weile kam ich zu der erfreulichen und gleichzeitig traurigen Erkenntnis, dass es unter den Soldaten so etwas wie ein gemeinsames Schicksal

gab. Die meisten waren jünger als ich und mit achtzehn zur Armee eingezogen worden. Sie stammten
aus kleinen Dörfern, hatten noch nie gearbeitet, dann
vielleicht eine Straftat begangen, zum Beispiel ein
Pferd geklaut oder einen Zigarettenkiosk überfallen,
wobei sie nicht erwischt worden waren. Fast alle hatten ein Mädchen, das vorhatte, sie sitzen zu lassen.
Die meisten hatten dazu einen Vater oder einen Bruder im Knast. Und viele hatten eine alte und kranke
Mutter, die irgendetwas mit den Beinen hatte. Und
so weiter und so weiter. Erfreulich war das alles, weil
es mir meine Arbeit als Wahrsager sehr erleichterte.
Und traurig, weil es so scheußlich war. Die Jungs
wollten wissen, ob sie für ihre vergangenen Sünden
bestraft werden könnten, ob das Mädchen auf sie
warten würde. Vor allem hofften sie auf ein individu-
elles, eigenes Schicksal, das sie jedoch gerade nicht
hatten. Ich konnte genau genommen gleich der ganzen Kompanie wahrsagen, ohne einem Einzigen auf
die Hand zu schauen.

Es war gerade eine Zeit, da die alten, dicken Lite-
raturzeitschriften die bisher unterdrückte Weltlitera-
tur endlich veröffentlichen durften. All diese Zeitschriften hatte unsere Kompanie abonniert. Ich las
den Soldaten daraus vor: Pasternak, Richard Bach
und Ken Keseys Roman »Einer flog über das Ku-

ckucksnest«, den ganzen alten Kram. In unserem von der Außenwelt abgeschnittenen Waldleben kam diese Art von Literatur besonders gut an. Manchmal weinten wir sogar zusammen. Außerdem schrieb ich viele Briefe für die Soldaten. Das war meine zweitwichtigste Beschäftigung. Ich fühlte mich in gewisser Weise für mein Wahrsagen verantwortlich und versuchte daher in den Briefen, die Dorfmädchen dazu zu bringen, dass sie auch wirklich warteten. Zum Teil klappte das sogar: Nachdem die Armeezeit vorbei war, bekam ich ein Dutzend Einladungen zu verschiedenen Hochzeiten. Ich bin aber nur einmal zu einer hingefahren. Danach schwor ich mir, nie mehr im Leben zu wahrsagen.

Einmal im Jahr mussten wir zum Schießstand. Jeder bekam drei Patronen, ballerte sie irgendwohin und ging zurück in die Baracke oder auf seine Station. Einer der Neuankömmlinge, ein junger Soldat aus Ufa, verkündete am Tag der Schießübung eine seltsame Botschaft. Er sei Pazifist und dürfe gemäß seines Glaubens die Waffe nicht in die Hand nehmen. Der schwule Offizier, der an dem Tag verantwortlich für die Übung war, versuchte, den Jungen zu überreden.

»Jeder macht im Leben Kompromisse. Durch die

Fähigkeit zu Kompromissen und durch Toleranz wird ein Mensch erst der menschlichen Gesellschaft würdig. Ich zum Beispiel, hasse die Gewalt, aber ich haue dir trotzdem kräftig in den Sack, wenn du nicht sofort dein Gewehr in die Hand nimmst. Und deine Kameraden, die dir gegenüber sonst immer tolerant waren, bringst du durch dein blödes Verhalten auch in Verlegenheit. Außerdem: Wie willst du deine Heimat verteidigen, wenn der Feind angreift? Etwa mit einem Löffel?«

Alles war umsonst. Der kleine Mann aus Ufa wehrte sich schweigend gegen jedes Argument. Unser Gruppenwille war aber stärker, so zwangen wir ihn zum Mitmachen. In der Nacht danach schlief ich auf meiner Radiorelaisstation. Alle Geräte waren in Ordnung, sie summten und piepten, strahlten Wärme und Gemütlichkeit aus. Plötzlich hörte ich ein entsetzliches Geräusch, als würde draußen eine Bombe hochgehen. Ich sprang aus der Station. In der Dunkelheit konnte ich erkennen, dass meine schicke Antenne total verbogen war. Auf dem Berg Kaukasus sah ich einen riesigen Vogel, der irgendetwas auf Baschkirisch schrie. Aus dem Bunker kamen meine Kumpel und der Offizier angelaufen. Alle wollten wissen, was los war. Es war der Pazifist, der mitten in der Nacht beschlossen hatte, sich aufzuhängen. Dafür hatte er die zehn Meter hohe Antenne meiner Relaisstation ausgewählt und war dort hochgeklettert. Die Antenne stand aber auf sumpfigem Boden und konnte den Mann aus Ufa nicht halten. Sie bog sich, der Soldat flog durch die Luft und landete auf dem Berg Kaukasus. Das rettete ihm das Leben. Wir haben damals nicht umsonst asphaltiert, freute ich mich. Der Junge war uns eigentlich ganz sympathisch. Er hatte nur eine Pazifistenmacke, sonst war er in Ordnung. Nun hatte er sich noch ein paar Beulen verschafft. Die Offiziere wollten ihn loswerden, aber unser Soldatenkollektiv hatte ihn unter seine Fittiche genommen. Mit der Zeit entwickelte er sich zu einem richtig schießwütigen Soldaten und hatte keine Abneigung mehr gegen Übungen irgendeiner Art.

***

Eltern- und Mädchenbesuche waren im Dritten Moskauer Abwehrring nicht vorgesehen. Wegen der hohen Sicherheitsstufe. Auch mit dem Urlaub für die Soldaten sah es schlecht aus. Besonders für die, die mit der geheimen Technik zu tun hatten. Einen Kasachen vom Außenposten hatte unsere Leitung einmal mit einem zweiwöchigen Urlaub ausgezeichnet, nachdem man ihn auf seinem Posten vergessen hatte und er sechsunddreißig Stunden unter seinem Baum hatte verbringen müssen. Er war einer von der Sorte, die kaum Russisch konnten. Der Soldat hieß Kochubei oder so ähnlich. Eines Tages erklärte unser Oberst, Kochubei hätte Urlaub verdient. Der Junge bekam eine Paradeuniform, eine neue, schöne Aktentasche und wurde mit einem Lkw zum nächsten bewohnten Ort gefahren, der etwa siebzig Kilometer von uns entfernt lag. Nach drei Tagen kam Kochubei zurück. Seine Uniform war zerfetzt, und er hatte sich drei Tage von Kleintieren und Insekten ernährt. Sogar den Lederersatz von der Aktentasche hatte er abgezogen und gekaut, um seinen Hunger zu stillen, und war nun sehr froh, seine Einheit und seinen Posten wiedergefunden zu haben.

Wir unterzogen Kochubei einem Verhör. Er meinte, er sei von ganz weit weg zur Armee mit einem Flieger gebracht worden und könne unmöglich allein den Weg zu sich nach Hause zurückfinden. »Zeig uns auf der Karte, wo du geboren bist«, forderte ihn mein Freund Andrej auf und brachte eine große Weltkarte aus dem Leninzimmer, in dem jeden Montag unsere Politinformationen stattfanden. Nach langem Suchen fand Kochubei seinen Heimatort auf der Karte und freute sich. »Ich komme aus Chuj«, sagte er und stieß mit dem Finger in die Karte. »Das ist doch in Afghanistan«, erwiderten wir misstrauisch. »Ja, ja Afghanistan«, freute sich Kochubei. Viele reiche Tadschiken würden in Afghanistan nach einer Art Ersatzrekruten suchen, die für ihre Söhne die Zeit in der russischen Armee abbüßen müssten. Manche würden dafür Geld zahlen, aber oft würden die jungen Rekruten einfach geklaut, meinte Kochubei. Ein reicher tadschikischer Kolchosvorsitzender hätte ihn von seinen Eltern für zwei Jahre ausgeliehen und zehn Lämmer dafür gegeben, erzählte er uns.

Das Besuchsverbot galt nicht für alle in unserer Einheit. Manche Eltern konnten ihren Nachwuchs doch ab und zu einmal trösten. Der schwarze Wolga des Vaters von Choroschko, des doppelten Helden der Sowjetunion, war zum Beispiel oft bei uns zu sehen. Danach gab es immer köstliche Sachen für alle. Der General Galaktionow, dessen Sohn auch bei uns diente, kam gelegentlich vorbei, und ein Wagen des Außenministeriums brachte den Zwillingen des sowjetischen Botschafters in Kolumbien immer wieder einmal kiloweise Kaugummis.

Mein Vater wollte auch unbedingt einmal vorbeischauen, obwohl ich ihm unsere interne Situation und das Besuchsverbot in mehreren Briefen deutlich geschildert hatte. Aber auch wenn er nur ein bescheidener Ingenieur war und der Leiter der Abteilung des Planungswesens eines kleinen Plastikbetriebs, war mein Vater doch schon immer für ausgefallene Ideen zu haben gewesen. Er ließ sich bei einem Bekannten eine Phantasieuniform schneidern. Die Uniform eines Admirals der Flotte mit vielen goldenen Streifen, roten Knöpfen und fransigen Schulterklappen. Außerdem verschaffte er sich zwei Mützen mit Kokarden – eine weiße und eine schwarze.

In dieser Uniform erschien mein Vater eines Tages vor dem großen Tor unseres Geländes. Er sah wie Pinochet aus, sogar noch gefährlicher. Der Soldat am Kontrollpunkt rannte aus seinem Häuschen und begrüßte meinen Vater, als hätte er einen Generalissimus vor sich. »Rühr dich Soldat, ich will nur meinen Sohn sehen«, sagte mein Vater. Seine Idee funktionierte ganz gut, selbst der Dienst habende Offizier, der Säufer, konnte seinen Schulterklappen nicht widerstehen. Ich wurde sofort gerufen, und dann spazierten wir in den Wald, wo meine Mutter auf uns wartete. Zwei Stunden verbrachten wir zusammen, ich aß die hausgemachten Buletten, und meine Mutter machte ein paar Fotos von uns.

Der Auftritt meines Vaters hatte auf meine Kame-

raden großen Eindruck gemacht. Nun wollten alle
wissen, zu welcher Waffengattung er gehörte und was
sein Job war. Um mich nicht zu blamieren, erfand ich
auf die Schnelle eine Geschichte von einem streng
geheimen U-Boot, das in schwedischen Gewässern
unter der Leitung meines Vaters und im Auftrag der
sowjetischen Regierung neue Waffen ausprobierte.
Diese Geschichte hat mir zwar keiner so richtig abge-
kauft, aber die Ruhe war wiederhergestellt. Wenn ich
die Wahrheit erzählt hätte, dass mein so toll unifor-
mierter Vater eigentlich in einem Betrieb arbeitete,
der Kämme und Zahnbürsten produzierte, hätte
man mir das bestimmt noch weniger geglaubt. Dieser Besuch erinnerte mich an das schöne, zivile Leben, das mir nach zwei Jahren im Wald nur noch wie
ein Traum erschien.

In der darauf folgenden Nacht, die ich wie immer
auf meiner Relaisstation verbrachte, dachte ich zum
ersten Mal gründlich über mein Leben nach. Andrej
kam mich besuchen. Wir spielten Karten und unterhielten uns über dies und das. Draußen regnete es.
Es war der Spätherbst 1988, die Bäume hatten schon
längst ihre Blätter verloren, und alle bereiteten sich
auf einen langen Winter vor. Doch für uns Altgediente kam die Zeit, nach Hause zurückzukehren.
Die zwei Jahre waren um. Wir setzten uns zu dritt auf

den Berg Kaukasus und überlegten, wie wir von hier wegkommen könnten. Grischa schlug vor, einfach beim Stab aufzukreuzen und zu sagen: Wir wollen nach Hause. Andrej und ich bezweifelten, dass so ein Plan funktionieren könnte.

Trotzdem gingen wir hin.

★★★

»Ihr wollt nach Hause?« Der Schnurrbart unseres Obersts wurde steif vor Wut. »Niemals, hört ihr, niemals werdet ihr nach Hause kommen«, schrie er und warf uns aus dem Stab. Wir wehrten uns: »Was soll diese Scheiße«, schrien wir zurück, »wir haben zwei Jahre ehrlich gedient und wollen nach Hause!«

Alles war umsonst. Am nächsten Tag beruhigte sich der Oberst und bestellte uns drei zu sich aufs Zimmer. Der Mann war unberechenbar wie ein Vulkan.

»Ihr habt Recht, Jungs, eure Zeit ist um. Ihr wollt nach Hause? Gut. Dann leistet was, etwas richtig Schönes, und dann könnt ihr gehen.«

»Wir haben schon so viel Schönes geleistet, Genosse Oberst«, erinnerten wir ihn. »Den Schwänebrunnen, den Berg Kaukasus, das Schwein, das wir im Wald geborgen haben …«

»Nein, ich meine etwas wirklich Schönes«, brüllte der Oberst. »Kann einer von euch malen?«

»Jawohl, Genosse Oberst«, sagten wir sofort. Wir wollten nach Hause.

»Malt mir einen Soldaten, einen riesengroßen. Er soll Freude und Optimismus ausstrahlen, aber gleichzeitig auch den Feind warnen und die militärische Stärke unserer Armee unterstreichen. Also malt mir ein Plakat, fünf mal fünf Meter, oder noch besser sieben mal sieben Meter, das stelle ich vorne am Eingang auf, und ihr seid frei«, sagte der Oberst.

Ich hatte immer schon eine Vorliebe für monumentale Kunst. Ab sofort waren wir drei, Grischa, Andrej und ich, vom Wachdienst suspendiert. Wir bekamen ein Fass grüne Farbe, einen Stapel Holzplatten und Pinsel. Keiner von uns konnte malen. Zwei Wochen quälten wir uns mit dem Auftrag. Wir waren uns nicht einig, wo und wie wir anfangen sollten. Grischa, der mit der Theorie der zeitgenössischen Malerei vertraut war, sah unsere Rettung in der abstrakten Kunst. Ich positionierte mich als Vertreter des Realismus, und Andrej, der unbedingt mit dem Kopf des Soldaten anfangen wollte, erwies sich als Anhänger der naiven Malerei.

Eines Nachts saßen wir wieder auf dem Heizungsrohr im Toilettenraum und führten unsere endlose

Diskussion über Kunst fort. Plötzlich erblickte ich eine nackte Frau, die sehr gekonnt mit einer Bleistiftmine an die Toilettenwand gezeichnet war.

»So etwas Realistisches, beinahe Erotisches muss es werden«, sagte ich. Die Rettungsidee ging uns allen gleichzeitig durch den Kopf: Der Mann aus Afghanistan, Kochubei, war doch derjenige, der alle Onanisten unserer Einheit mit Porträts von nackten Frauen belieferte. Ob er aber auch einen Soldaten zeichnen konnte? Noch in derselben Nacht suchten wir Kochubei auf. Er stand wie immer Wache unter seinem Baum. »Kannst du uns einen Soldaten malen?«, fragte ihn Andrej. Er konnte, wollte aber nicht. Andrej ging in die Waffenkammer: Wir mussten erst etwas Druck auf Kochubei ausüben, bis er so nett war, uns einen Riesensoldaten zu zeichnen. Zwei Schachteln mit Bleistiftminen besorgten wir für ihn. Danach mussten wir das Bild nur noch mit grüner Farbe ausmalen, die Platten aneinander nageln und das Kunstwerk am richtigen Ort aufstellen. Der Mann auf dem Plakat sah zwar aus der Nähe wie ein grüner, schmutziger Fleck aus, von weitem aber wie ein richtiger, knackiger Soldat. Und wenn man ganz genau hinguckte, strahlte er auch noch Freude und Optimismus aus. Die militärische Stärke, die er symbolisieren sollte, war mit ein bisschen Phantasie auch nicht zu übersehen. Als der Oberst diese Frucht unserer Arbeit sah, kriegte er sofort einen Ständer. Wortkarg und streng, wie er war, machte er ungern Komplimente und suchte immer zuerst die Mängel. Er kniff ein Auge zu und sah sich das Kunstwerk lange und genau an.

»Warum hat der Soldat nur vier Finger an der rechten Hand?«, fragte er schließlich.

»Was?« Wir waren überrascht.

Der Oberst hüstelte in die Faust, was uns seine unterdrückte Begeisterung verriet.

»Er hat doch keinen Zeigefinger an der rechten Hand, euer Soldat. Wie soll er schießen, seine Heimat verteidigen?« Der Oberst hüstelte noch einmal.

»Okay«, sagte Andrej, nahm aus dem Eimer den Rest der Farbe und malte unserem grünen Soldaten einen Riesenzeigefinger, der fast wie ein Schwanz aussah.

»So ist es viel besser«, meinte der Oberst sofort. »Kommt morgen zu mir in den Stab, mal sehen, was ich da für euch tun kann.«

Am nächsten Tag bekamen wir unsere Papiere, verabschiedeten uns von allen, von unseren Offizieren, unseren Freunden, vom afghanischen Rembrandt, von den Fröschen, vom Radar und vom Kaukasus und fuhren mit dem LKW nach Sagorsk, um von dort einen Zug nach Moskau zu erwischen. In Sagorsk kauften wir eine Flasche Wodka, die wir sofort austranken. Am 29. Dezember abends näherte ich mich meinem Heim. Ich hatte eine Paradeuniform an, meine Stiefel quietschten. In den Fenstern brannte Licht, meine Eltern waren noch wach. Obwohl sie nicht gewusst hatten, dass ich kommen würde, hatte meine Mutter so eine Ahnung gehabt, erzählte sie mir hinterher. Mehrere Wochen brauchte ich, um mich wieder an das zivile Leben zu gewöhnen. Die viel zu kleine Wohnung, die Leute auf der Straße, die alle gleichzeitig, aber nicht hintereinander in verschiedene Richtungen liefen und nicht einmal stillstanden, wenn ihnen ein General entgegenkam, das alles verwirrte mich in der ersten Zeit. Aber schon bald konnte ich auch ohne Stiefel ruhig schlafen.

Der Westwind

Schnell stellte ich fest, wie sich das zivile Leben während meines zweijährigen Aufenthalts im Wald verändert hatte. Wir hatten dort von der Perestroika so gut wie nichts mitbekommen. Die neue Realität stach nun ins Auge: Die vakuumverpackte Gesellschaft, die ich eigenhändig vor feindlichen Raketen geschützt hatte, das harte sozialistische Ei, das seit Jahrzehnten im kochenden Wasser des Kalten Krieges vor sich hin gebrodelt hatte, hatte einen mächtigen Riss bekommen. Alles, was noch einigermaßen flüssig war, floss raus – ins Ausland. Die Menschen standen nicht mehr vor den Lebensmittelgeschäften Schlange, sondern vor den Konsulaten und Botschaften. Deren dunkle Häuser, oft ohne jede Beschriftung, hielt ich früher immer für wichtige Sanierungsobjekte, die aus irgendeinem Grund unter Polizeischutz standen. In Wirklichkeit waren es Inseln der Freiheit. Besonders große Schlangen standen vor der holländischen Botschaft, weil sich dort das israelische Konsulat befand. Die amerikanische Botschaft sah auch überlastet aus. Die drei schwarzen, athletisch gebauten Marines mit Maschinengewehren in der Hand und Kaugummi im Mund schreckten das Publikum nicht ab. Man hatte plötzlich das Gefühl, jeder Russe wollte so ein schwarzer Marine werden oder sich zumindest neben einen stellen.

An jeder Ecke verkauften die Leute Anträge, Formulare, Bescheinigungen, Visaunterlagen oder Wartenummern. »Damit kannst du nach Australien, damit nach Kanada, damit kommst du nur bis Prag«, erzählten sie einander. Die meisten hatten kein besonderes Reiseziel, sie wollten einfach nur weg. Die Freiheit, die Gorbatschows Perestroika mit sich brachte, wurde vom Volk einfältig aufgenommen – als Freiheit, einfach abzuhauen. Die sozialistische Heimat, die den Bürger bisher immer fest am Kragen gehalten hatte, hatte ihren Griff gelockert, und er brach sofort auf.

»Wo willst du denn hin?«, fragte die Heimat misstrauisch.

»Ich muss mal hier kurz um die Ecke«, log der Bürger die Heimat an.

»Und was hast du in dem Sack?«, wunderte sich die Heimat.

»Ach nichts, nur ein paar Souvenirs für Freunde«, wiegelte der Bürger ab, packte schnell seine Siebensachen und sprang in den nächstbesten Zug.

»Wenn du was aufs Maul kriegst, kommst du einfach wieder zurück«, hatte mein Freund Katzman von seinem Vater mit auf den Weg bekommen, als er mit vierzehn von zu Hause weggegangen war.

Ich telefonierte mit alten Freunden: Die einen versuchten ihr Glück bei irgendeiner Botschaft oder einem Konsulat, die anderen suchten nach alternativen Abhaumöglichkeiten. Mammut verbrachte die meiste Zeit auf dem Arbat, der Haupttouristenstraße von Moskau. Er saß auf dem Fußweg und spielte Gitarre, ohne dafür Geld zu verlangen. Auf diese Weise hatte er bereits mehrere dänische Mädchen der »Next Stop«-Gruppe kennen gelernt, einer Bewegung junger Leute, die seltsamerweise alle eine Glatze trugen und ihn heiraten wollten. Er konnte sich nur noch nicht entscheiden.

Mein alter Kumpel Georg war bereits seit einem halben Jahr in Schottland. Er hatte sich bei einem internationalen Wettbewerb angemeldet, mit dem junge Erzieher für zurückgebliebene schottische Kinder gesucht wurden, und man hatte ihn genommen. Dort heiratete er dann eine Erzieherin, die aus Amerika nach Schottland gekommen war, und blieb. Ein Leben lang hatte Georg unter Neurodermitis gelitten, sein Gesicht war immer rot gewesen. An schlimmen Tagen hatte er immer wie eine frisch geschälte Tomate ausgesehen. Sein Hautleiden war jedoch an dem Tag spurlos verschwunden, als Georg die Grenze der Sowjetunion hinter sich gelassen hatte. Er deutete es als Zeichen von oben und verschickte an seine sämtlichen Freunde Postkarten mit seiner neuen Visage drauf.

Fast alle, die ich von früher kannte, waren entweder unterwegs oder kurz davor zu verreisen oder gerade zurück und planten schon wieder eine neue Tour.

Nur mein alter Freund Katzman, der eigentlich nach Amerika wollte, landete stattdessen in der Klapsmühle. Er hatte die Green Card schon fast in der Tasche gehabt und war geistig bereits in San Francisco gewesen: Katzman hörte keine russische Musik mehr, nur noch amerikanische, außerdem legte er sich ein paar ungarische Cowboystiefel zu, die unter den Moskauer Jugendlichen gerade sehr populär waren. Dazu trug er einen Cowboyhut und besuchte regelmäßig den teuersten Englischkurs, den es damals in Moskau gab: »Englisch unter Hypnose in 33 Tagen«. Seine geistige Verwirrung kam ganz hinterhältig, wie aus dem Nichts, und überraschte nicht nur Katzman, sondern auch alle seine Mitmenschen. Seine Krankheit hieß Patrizia Kaas.

Die französische Sängerin tourte gerade durch die Sowjetunion, im Fernsehen brachten sie jeden Tag denselben Videoclip, in dem die katzenähnliche blonde Frau, angetan mit einer Lederjacke, auf einem großen Motorrad hin und her zappelte. Das Lied hieß »Mein Zuhälter liebt mich nicht«. Trotz strömenden Regens zog die Sängerin ihre Lederjacke aus und rutschte in einem kurzen, nassen T-Shirt weiter auf dem Motorrad herum. Man konnte fast ihren Busen sehen. Der erste Busen in Großformat im sowjetischen Fernsehen! Viel mehr musste Patrizia nicht leisten, um das russische Publikum zu verzaubern. Doch sie sang dazu noch auf Französisch und lächelte milde. Patrizia war einer der ersten westlichen Stars, die unser Land für sich entdeckt hatte, und ihre Auftritte sorgten stets für großen Wirbel.

Katzman guckte sich den Clip mit Patrizia Kaas wieder und wieder an. Dabei vergaß er San Francisco. Er ging auch nicht mehr zum Unterricht, um Englisch unter Hypnose zu lernen. Stattdessen verkaufte er seine wertvolle Plattensammlung und folgte der französischen Sängerin auf ihrer Tournee durch die Sowjetunion. Es hätte eine romantische Geschichte über eine hoffnungslose Liebe daraus werden können. Irgendwann wird er bestimmt wieder zu sich kommen und dann darüber lachen, dachten wir. Es kam aber anders.

Katzman war leider nicht der Einzige gewesen, den dieser Schicksalsschlag getroffen hatte: Tausende von Menschen waren unterwegs, sie alle folgten Patrizia Kaas, angezogen von dem Gefühl eines glücklichen, sorglosen Daseins, das diese Frau ausstrahlte. Schüler und Rentner, Familienväter und Armeeoffiziere, Kluge und Dumme, alle fielen der französischen Sängerin zum Opfer. Meine Landsleute, die jahrzehntelang nur von Kosmonauten und Bergarbeitern im Fernsehen angesprochen worden waren, wurden von einem solchen Angriff von Schönheit völlig überrumpelt. Davor hatte es nur eine einzige Sendung mit ausländischen Stars gegeben. Sie wurde einmal im Jahr, in der Silvesternacht, übertragen und hieß: »Das Tollste aus aller Welt!« Ab drei Uhr nachts, wenn die Regierung sicher sein konnte, dass alle Kinder des Landes längst im Bett waren und sich über den Glamour des Auslands nicht mehr unnötig aufregen konnten, bekamen die Eltern Karel Gott, Dean Reed, Boney M. und die Tanzgruppe aus dem Friedrichstadtpalast zu sehen.

»Das Tollste aus aller Welt!« hatte keine besonders

erotisierende Wirkung auf das Volk. Die Sänger waren öde und die meisten Zuschauer nach dem vielen Anstoßen auf das neue Jahr müde. Auch in die Tanzgruppe des Friedrichstadtpalastes konnte man sich nur schwer verlieben. Mit ihren vielen Federn und den langen Beinen, die alle im gleichen Rhythmus synchron über die Bühne steppten, ähnelten die Tänzer einem glitzernden Tausendfüßler. Die meisten Zuschauer schliefen um vier Uhr schon fest. Erst als Patrizia Kaas sich im sowjetischen Fernsehen einnistete, erwachten sie aus ihrem Schlaf. Der relativ kleine Busen der französischen Sängerin sorgte für große Aufregung bei der breiten Masse der Bevölkerung. Viele ließen einfach alles stehen und liegen und fuhren los.

Die Miliz bekämpfte die so genannten »Kaas-Züge« so gut sie konnte. Denn überall, wo die Französin hinkam, sei es in eine Kleinstadt im Süden oder in die Hauptstadt einer Republik, verbreiteten die Fans Unruhe und hinterließen ein Chaos. Außerdem gewann sie in jeder Stadt neue Anhänger. Es war eine Massenpsychose. In Archangelsk zum Beispiel arbeiteten Hunderte von Menschen eine ganze Nacht lang, um ein zwei Kilometer langes Transparent an einer Ufermauer anzubringen: »Wir lieben Patrizia, wir danken Patrizia, wir bleiben mit Patrizia zusammen.«

Die Miliz hätte Frau Kaas am liebsten nach Hause geschickt und ihre durchgedrehten Fans in den Knast, doch das ging nicht mehr. Die Partei förderte gerade einen Sozialismus mit menschlichem Antlitz, also musste sich die Miliz auf mündliche Propaganda beschränken. Dazu wurden die Züge mit den Patrizia-Fans oft auf tote Gleise umgeleitet, wo junge Beamte die Menschen mit Hilfe eines Megaphons davon zu überzeugen versuchten, doch lieber wieder zurück nach Hause zu fahren: »Vergesst Patrizia Kaas!«, beschwor die Miliz das Volk, »geht zu euren Frauen und Kindern zurück!« Aber alles war umsonst.

Die Sängerin selbst hatte zahlreiche und gut ausgebildete Bodygards, außerdem wurde sie in jeder Stadt von Spezialeinheiten des russischen Militärs überwacht. Insofern bekam Patrizia von der Liebe der Russen nicht allzu viel mit. Besonders aufdringliche Fans, die sogar bereit waren, über Leichen zu gehen, um ihr Idol persönlich kennen zu lernen, und dazu die Bodygards angriffen, wurden von der Spezialeinheit aufgegriffen und dann von der Miliz nach Hause transportiert. Damit sie sich nicht gleich wieder auf den Weg zurück machen konnten, bekamen sie eine vorsorgliche Einweisung in die Psychiatrie, für zwei bis drei Wochen. Ihre Pässe behielt die Miliz solange ein, und ohne die konnten sie Patrizia nicht hinterherreisen.

Die Mutter von Katzman rief mich an. Man hatte sie benachrichtigt, dass ihr Sohn sich in psychiatrischer Behandlung befand. Doch in welchem Krankenhaus, konnte sie nicht rauskriegen. Mammut und ich gingen zur Miliz. Vor dem Informationsschalter wartete bereits eine Schlange. Die meisten suchten nach ihren Verwandten und Bekannten, die wegen des französischen Busens ihren Kopf verloren hatten. Der Beamte hinter der Scheibe hielt einen Karton auf dem Schoß, der voll mit sowjetischen Pässen war. Er musste alle Formulare per Hand ausfüllen. Damals gab es noch keine Computer.

»Wie, sagt ihr, heißt euer Freund mit Nachnamen?«, fragte er uns, als wir endlich dran waren. »Oder sagt mir lieber, wo sein Pass ausgestellt wurde, ich habe sie hier nämlich nach den Nummern der Behörden sortiert.«

Das bremste uns überraschend aus, denn wir wussten nicht, wie Katzman mit Nachnamen hieß, wir kannten nur seinen Vor- und Spitznamen. Die Nummer seines Passes wussten wir auch nicht. Deswegen versuchten wir es andersherum:

»Unser Freund sitzt in der Klapsmühle, allein und total verwirrt. Er braucht dringend unsere Hilfe, und wir werden ihn ohne Ihre Unterstützung niemals finden. Lassen Sie uns doch rein, wir sehen alle Pässe durch«, baten wir den Milizionär.

Er war ein guter Kerl. »Wir leben in harten Zeiten«, erwiderte er, »nicht nur euer Freund, viele Freunde sitzen derzeit in der Klapse. Sind selber schuld. Es ist gegen die Vorschrift«, murmelte er unzufrieden, aber dann ließ er uns doch an den Karton ran.

Nach einer Weile fanden wir Katzmans Pass. Unser Freund hatte Glück gehabt. Er war in die beste Psychiatrie der Stadt eingeliefert worden, in die berühmten »Weißen Säulen«.

»Wisst ihr, wie man da hinkommt?«, fragte uns der Milizionär.

»Klar!«, sagten Mammut und ich sofort.

Der Beamte spitzte sofort die Ohren: »Woher wisst ihr das? Wart ihr schon mal da?«

»Nein, nein«, verteidigten wir uns. »Das ist doch klar, wie man hinfährt«, klärte Mammut den Beamten auf, »entweder benutzt man ein privates Fahrzeug, oder man nimmt die öffentlichen Verkehrsmittel in Anspruch, einen Bus zum Beispiel oder die Straßenbahn.« Seine eiserne Logik überzeugte den Beamten.

»Ich sehe schon, Jungs, ihr seid in Ordnung«, sagte er und rückte die Adresse raus.

Wir nahmen die Straßenbahn und fuhren durch

die ganze Stadt zu den »Weißen Säulen«. Das Krankenhaus befand sich in einem Park in der Nähe der
Stadtgrenze. Auch in dieser abgelegenen Gegend
konnte man schon die Spuren der allgemeinen De-
mokratisierung des Landes sehen: Viele Patienten des
Krankenhauses irrten im Park herum. Nur wenige
trugen Krankenkittel, die meisten waren bunt angezogen, und einige liefen sogar fast nackt durch
die Gegend. Am Haupteingang saß eine freundliche
Krankenschwester, die uns in falschem Italienisch
begrüßte.

»Buenos Dias, Seniores«, sagte sie zu uns und erklärte dann: »Ja, ja ich bin eine Italienerin, Sie sollten
sich darüber nicht wundern.«

»Tun wir auch nicht«, versicherten wir ihr.

Die Krankenschwester sagte uns, in welchem Zimmer unser Freund steckte und fügte dann besorgt
hinzu: »Oh, Zimmer 618 – ein langer Weg. Kommen
Sie, ich werde Sie begleiten.«

Sie stand auf und holte eine massive Türklinke aus
dem Schreibtisch. Mammut und ich waren zum ersten Mal in den »Weißen Säulen«. Wir versuchten mit
der Italienerin im Gleichschritt zu gehen und nicht
zurückzubleiben. Zwischen den langen engen Korri-
doren, die ineinander liefen, gab es immer wieder
eine Tür, die unsere Italienerin mit ihrer Klinke ener-

gisch öffnete und mit Kraft hinter uns wieder zu-
schlug. Es war unheimlich. Ohne diese Klinke der
Italienerin würden wir hier nie wieder rauskommen.
Auch unsere Führerin war merkwürdig. Sie guckte
seltsam, sie ging seltsam, sie hatte eine seltsame
Frisur: Ihre Haare waren zu einer runden Kugel zu-
sammengekämmt, eine Frisur, die der Volksmund
Läusehaus nannte. Und wieso war sie eigentlich Italienerin?

Das Krankenhaus, das von außen wie eine harmlose Villa aussah, erwies sich als eine riesengroße
Burg. Mindestens zwanzig Türen knallten hinter unseren Rücken zu, bevor wir das Zimmer 618 erreichten.

»Hier wohnt Ihr Freund«, sagte die Italienerin,
dann zog sie eine Schachtel Zigaretten aus ihrer Tasche und drückte sie mir in die Hand. »Rauchen darf
man nur im Aufenthaltszimmer, geradeaus und dann
links, wo der Fernseher steht. Ich hole euch in einer
Stunde dort ab«, erklärte sie uns und ging.

Die komische Zigarettenschachtel, auf der der
Name unseres Freundes stand, irritierte uns noch
mehr. Genauso hatte ich mir eine Klapsmühle immer
vorgestellt! Wir klopften an die Tür und traten ein.
Unser Freund Katzman sah erholt aus, er errötete vor
Freude, als er uns erblickte. Außer ihm saß noch ein

anderer Patient im Zimmer 618 auf dem Bett. Er spielte Schach mit sich selbst. Katzman umarmte und küsste uns.

»Habt ihr die Zigaretten?«

»Ja«, sagten wir, »die italienische Krankenschwester hat uns ihre geschenkt.«

»Sie hat euch meine Zigaretten geschenkt«, korrigierte uns Katzman. »Meine Zigaretten, die ich so vermisse.«

Wir verstanden ihn nicht.

»Mussolini rückt die Zigaretten nur dann heraus, wenn jemand zu Besuch kommt«, erklärte er. »Eigentlich hat sie aber Recht: Die Mongoloiden hier sind alles Kettenraucher. Wenn man auf die nicht scharf aufpasst, verwandeln sie diese letzte Festung der sowjetischen Psychiatrie in eine einzige Rauchwolke. Die Fenster gehen hier nicht auf, und die Lüftung funktioniert nicht«, beschwerte sich Katzman.

»Diese Frau, Mussolini, hat mit uns die ganze Zeit Italienisch gequatscht. Hat sie etwa auch einen Gehirnschaden?«, fragte ich ihn.

»Vergiss sie. Die arme Frau bildet sich ein, sie wäre Italienerin, nur weil in ihrem Pass unter Nationalität »Italienisch« steht. Ihr Vater war Auslandskorrespondent der »L'Unita« in Moskau. Er hat bestimmt ein Dutzend Kinder hinterlassen, bevor er zurückging, wie das bei Italienern so üblich ist. Klara hat sich jetzt in den Kopf gesetzt, dass sie nach Italien muss, zurück zu ihren Wurzeln, und dafür lernt sie dauernd Italienisch.« Katzman streckte die Hände zum Himmel und schüttelte weise sein Haupt: »Alles Verrückte hier. Jeder hat mindestens eine Macke. Es gibt nur zwei normale Menschen in diesem ganzen Komplex, mich und Kolja, den Dichter.« Katzman zeigte auf den einsamen Schachspieler, der auf dem Bett neben uns saß. »Das geht mich hier aber alles nichts mehr an, in fünf Tagen bin ich draußen.«

»Draußen oder drin, alles hat kein Sinn«, echote Kolja, spielte aber weiter Schach.

Katzman verließ mit uns das Zimmer, um eine zu rauchen. Im Korridor war keine Menschenseele zu sehen, es herrschte absolute Stille. Im Aufenthaltsraum saßen fünf Mongoloide vor dem Fernseher. Sie zündeten ein Streichholz nach dem anderen an und warfen sie brennend dem Moderator des Nachrichtenprogramms ins Gesicht. Der reagierte aber nicht und redete freundlich weiter. Katzman bat uns, seine Mutter zu beruhigen. Ihm würden hier keine giftigen Medikamente verabreicht, die sein Urteilsvermögen trüben könnten. Und der Sängerin Patrizia Kaas weiter hinterherzulaufen, darin sähe er auch keinen Sinn mehr. Das fände er inzwischen kindisch. Er habe stattdessen jetzt einen neuen Plan. Er wolle Patrizia dort überraschen, wo sie ihn am wenigsten erwarte – und zwar in Paris.

»Ich fahre bald nach Kopenhagen«, erzählte Mammut, »ich habe ein dänisches Mädchen kennen gelernt, sie ist übrigens noch schöner als deine Patrizia. Sie hat zwar keine Haare auf dem Kopf, das ist aber jetzt gerade Mode.«

Katzman reagierte auf Mammuts Provokation überhaupt nicht. »Ich kann es nicht erwarten, hier rauszukommen«, erklärte er noch einmal und nahm einen kräftigen Zug aus seiner Zigarette. »Die Klapse ist widerlich. Man kann keine Musik hier hören, alle Steckdosen sind unter Verschluss. Den Arzt habe ich nur einmal gesehen. Er kam am ersten Tag zu uns aufs Zimmer, um mich und den Dichter zu quälen. Immer mit denselben blöden Fragen: ›Stellen Sie sich vor, Sie reiten auf einem Pferd über eine grüne Wiese. Die Sonne scheint, der Himmel ist klar. Plötzlich fallen Sie vom Pferd. Was empfinden Sie dabei?‹ Ich habe dem Doktor immer mit einer Gegenfrage geantwortet: ›Waren Sie schon mal unten in der Kantine essen? Stellen Sie sich vor: Auf Ihrem Teller liegt eine Fischbulette, blutig wie ein Steak. Ich dachte zuerst, es sei mein Blut, weil ich nicht wusste, dass Fische so stark bluten können. Da kann man leicht durchdrehen, wenn man so etwas zu sehen bekommt.‹ Dieser komische Arzt nickte nur traurig mit dem Kopf und sagte: ›Ich kann Sie gut verstehen. Fische können nicht so stark bluten, als Bulette schon gar nicht. Es war bestimmt eine dieser hässlichen Ratten, die können viel schlechter das Gleichgewicht halten als Katzen oder Spinnen, deswegen fallen sie in der Küche ständig von den Lüftungsrohren direkt in den Fleischwolf. Aber was wollen Sie mir damit sagen? Dass Ihnen unser Essen nicht gefällt? Wir haben Sie auch nicht zum Essen eingeladen. Das ist kein Restaurant, sondern ein Krankenhaus. Und die Gefahr, dass Sie durchdrehen, besteht auch nicht. Sie sind nämlich schon gaga hier angekommen!‹ Das sagte dieser Mistkerl und verschwand. Er hat sich nie mehr bei mir blicken lassen.«

Katzman war nicht zu bremsen. Wir erfuhren weitere Einzelheiten aus dem Klinikalltag, wobei er ihn mehr und mehr in Szene setzte, und dabei erst die Stimme des Arztes, dann auch die der italienischen Krankenschwester sowie die anderer Patienten imitierte. Die Mongoloiden waren davon so beeindruckt, dass sie das Streichholzspiel vergaßen und ihre Blicke auf unseren Freund richteten. Katzman erzählte uns inzwischen die traurige Geschichte von dem Dichter Kolja, der kein Verehrer von Patrizia

Kaas war, wie wir ursprünglich angenommen hatten, sondern ein quasi professioneller Selbstmörder. Er war in der Klinik wie zu Hause und kannte Mussolini noch aus der Zeit, als sie mit den Patienten Russisch sprach.

Der Dichter hatte schon viele Selbstmordversuche hinter sich. Einmal wollte er sich zum Beispiel vergiften. Dazu drehte er in seiner Küche den Gasherd auf und steckte seinen Kopf rein. Die Nachbarn über ihm hatten gerade eine kleine Party. Das Gas stieg nach oben, und als die Gäste gerade die Kerzen anzünden wollten, gab es einen riesigen Knall, und alle flogen in die Luft. Der Dichter bekam nicht mal einen Kratzer ab. Ein anderes Mal wollte er sich im Hotelzimmer an einem Fernsehkabel aufhängen. Das Stück, das aus der Wand hing, war jedoch viel zu kurz. Mit einem Teil seines eisernen Bettes bearbeitete der Dichter daraufhin stundenlang die Wand, um das Fernsehkabel herauszuziehen. Gegen Morgen stürzte die ganze Wand ein, und die halbe Hoteletage brach zusammen. Der Dichter blieb wieder heil. Verzweifelt sprang er später aus dem Fenster, warf sich unter die Räder eines Autos oder versuchte sich zu ertränken – alles vergeblich. Mit der Zeit entwickelte sich der Dichter zu einem Perfektionisten. Er plante seinen Selbstmord so präzise wie Bankräuber ihre

Überfälle. Es half nichts. Der Tod machte jedes Mal einen großen Bogen um ihn. Als er sich zuletzt in einem Hausflur auf der Treppe die Pulsadern aufschnitt, wurde er ohnmächtig und fiel so unglücklich, dass die Treppenkante ihm die Adern abklemmte. Als die Nachbarn ihn fanden und den Notarzt holten, der ihn in die »Weißen Säulen« brachte, hatte er nur ganz wenig Blut verloren, sodass er dort schon am nächsten Tag wieder Schach spielen konnte.

»Eigentlich ist der Mann genial«, erzählte uns Katzman, »als Schachgegner ist er in der ganzen Klinik unschlagbar, deswegen spielt er nur noch gegen sich selbst, trotzdem gewinnt er immer. Wir sind mit der Zeit richtige Freunde geworden, vielleicht nehme ich ihn mit nach Paris, wenn wir beide hier raus sind.«

Die italienische Krankenschwester kam, um uns nach draußen zu bringen. Die Besuchszeit war zu Ende.

»Subito, subito, Seniores«, drängelte sie uns. »Alles Verrückte hier«, schimpfte Katzman, sie lachte nur. Wir verabschiedeten uns von ihm und gingen. Als wir draußen waren, rannten Mammut und ich, ohne uns abgesprochen zu haben, sofort zur Straßenbahnhaltestelle, um so schnell wie möglich von hier wegzukommen. Diese knappe Stunde, die wir in dem Krankenhaus verbracht und die halbe Schachtel Zigaretten, die wir dort mit Katzman geraucht hatten, reichten aus, uns eine heillose Angst vor der Klapse einzujagen. Unser armer Freund musste noch ganze fünf Tage dort aushalten. »Er ist selber schuld, wir können ihm nicht helfen«, meinte Mammut, als wir in der Straßenbahn saßen.

Fünf Tage später war Katzman tatsächlich wieder draußen, wo er sofort seine Ausreise in Angriff nahm. Mammut verließ einige Wochen später für immer die Sowjetunion – zusammen mit seiner dänischen Freundin, die wir alle die kahle Sängerin nannten. Ich suchte mir erst einmal einen Job beim Theater und fand mit Hilfe alter Beziehungen eine lauschige Wirkungsstätte.

Der russische Theaterbund hatte die Gründung einer Theaterwerkstatt angeregt, in der junge Schauspieler und Regisseure, Dramaturgen und Bühnenbildner ihre ersten Erfahrungen sammeln konnten. Diese waren aber auch nicht ganz dumm und hauten alle nacheinander ins Ausland ab, sobald sich die Gelegenheit bot. Irgendwann wussten die Dagebliebenen nicht mehr, wer eigentlich noch mitspielte. Jede Woche gab es eine große Versammlung, auf der diese Frage geklärt werden sollte.

»Wo ist der junge Regisseur X?«, fragte der Direktor besorgt. »Ich habe in seit zwei Wochen nicht mehr gesehen.«

»Er ist jetzt in Kanada und hat uns gerade einen Brief geschickt«, antwortete eine Stimme aus dem Saal.

»Und – geht es ihm gut?«

»Ja, er hat sich auf einer Maisplantage beworben.«

»Dann ist ja gut«, beruhigte sich der Direktor und strich den Mann von der Gehaltsliste.

»Aber was ist mit dem Schauspieler Y?«

»Er spielt den Puschkin in einem Fernsehfilm in Österreich.«

»Und der Schauspieler Z?«

»Der ist noch hier.«

Und so weiter. Trotz der ungewissen Lage beschloss ich, als Dramaturg an einem Theaterprojekt der Werkstatt aktiv teilzunehmen. Es war ein Dostojewskij-Projekt: seine spirituelle Erfahrung, projiziert auf die gegenwärtige Situation in Russland. Aber der Irrsinn, die zunehmende Absurdität des Alltags, überrollte uns, machte unser Vorhaben zum Kinderkram. Die Premiere fand in einer verlassenen Kirche statt, in der Nähe eines großen Bahnhofs. Der war von Flüchtlingen aus allen Republiken überfüllt, die nicht mehr wussten, wo sie hinsollten. Auf der Suche nach einem ruhigen Ort, an dem sie sich aufwärmen und ausschlafen konnten, entdeckten sie unser Theater. Die Eintrittskarten kosteten damals so viel wie ein Glas Tee im Bahnhofsrestaurant. Auf diese Weise hatten wir fast zu jeder Vorstellung den Saal voll mit schlafenden, übermüdeten Menschenmassen.

»Wegfahren! Weit weg! Die Welt kennen lernen, den Golf von Neapel sehen! Den Sonnenuntergang! Die schönen Frauen! Was halten Sie davon?«, beschwor jeden Abend die Hauptfigur in unserem Stück eine andere Hauptfigur. Und das Publikum schnarchte dazu. Dieser »Golf von Neapel« und der »Sonnenuntergang« gingen uns allen derartig auf den Geist, dass es für viele der Mitwirkenden unerträglich wurde. Sie schätzten ihre Kunst mehr als das Leben draußen. Ein paar Schauspieler verabschiedeten sich daraufhin in Richtung Amerika, wo sie kurz zuvor in Hollywood ein Praktikum gemacht hatten. Mein Freund, der Regisseur, meinte, dass er dringend einen Urlaub bräuchte und fuhr dann mit seiner Familie für einige Jahre nach England. Die Einladung hatte er seit langem zu Hause liegen gehabt.

Eines Tages verschwand auch unserer Direktor aus seinem Kabinett. Die Tür stand offen. Der Wind blätterte in den Gehaltslisten auf seinem Tisch. Der Direktor hatte in Jerusalem einen neuen

Anfang versucht. Ich wurde auch langsam reif für eine Reise.

★★★

Es war im Juli 1990. Asphalt und Staub schmolzen zusammen, Menschenmassen füllten die Stadt, und ich hatte nichts zu tun. Einmal ging ich morgens mit einem Bier in der Hand ins Kino. Es war eine gute Idee, sich um elf Uhr den »Schatten des Samurais« anzugucken, im Originalton ohne Untertitel und in einem extra für solche intellektuellen Filme eingerichteten Filmtheater. Ich saß ganz allein im Kinosaal, die Samurais auf der Leinwand führten endlose Gespräche miteinander auf Japanisch. Der eine Samurai trug einen blauen Rock, der andere einen roten. Jedes Mal wenn der Rote zu dem Blauen »Samurai Isura« sagte, nahm ich einen tiefen Schluck aus der Flasche und fragte mich: Warum bin ich eigentlich noch hier? Anschließend besuchte ich meinen Armeekameraden Andrej. Er arbeitete gleich in der Nähe in einer Fernsehreparaturwerkstatt.

Andrej, mit seinem blauen Arbeitskittel, erinnerte mich sofort an den Samurai aus dem Film. Ich sagte »Samurai Isura« zu ihm, was auf Japanisch soviel heißt wie: »Du Samuraigesicht«. Er meinte, die Hitze sei an seinem Aussehen schuld, es sei unerträglich heiß draußen, nur hier in der Werkstatt könne man noch einen anständigen Samurai-Schatten finden. Dann holte er ein paar Flaschen Bier aus dem Kühlschrank. In zwei Dutzend frisch reparierten Fernsehern liefen derweil die Nachrichten. Nichts Besonderes, alles wie immer. Zuerst wurde ein neuer Traktor gezeigt, dann ein Politiker, der gerade gestorben war. Nach ihm kamen in irgendwelche Schläuche gewickelte russische Kosmonauten und schließlich eine Wettervorhersage. Die letzten fünf Minuten waren traditionell Nachrichten aus dem Rest der Welt gewidmet. Darunter war auch ein Bild aus Deutschland: Die Autonomen hatten einige leer stehende Häuser in Ostberlin besetzt.

»Was hat das zu bedeuten?«, fragte ich Samurai Andrej, »und was heißt hier autonom? Wieso stehen in Berlin überhaupt Häuser leer? Und wo bleiben die Panzer der Polizei?«

»Na ja«, murmelte er, »es ist dort eben alles ein wenig anders als bei uns. Es kommt vor, dass nicht in jedem Haus Menschen leben. Und mit den Panzern gehen die Deutschen seit dem Krieg sehr vorsichtig um. Wegen ein paar besetzter Häuser regen die sich halt nicht so auf.«

»Sie regen sich wegen besetzter Häuser nicht auf? Da muss ich hin!«

Kurz danach traf ich einen anderen Freund von mir, Mischa, mit dem ich zusammen zur Schule gegangen war. Er wollte ebenfalls sofort nach Deutschland. Wir beschlossen, zusammen zu fahren – mit dem Zug. Er hatte das Geld für die Fahrkarten, und ich kannte jemanden in Berlin, bei dem wir zur Not übernachten konnten: Die beste Freundin meiner Mutter, Tante Inna. Sie hatte während ihres Studiums einen Studenten aus Karl-Marx-Stadt geheiratet. Zuerst lebten beide in Moskau, in den Achtzigerjahren zogen sie nach Berlin. Aber meine Mutter und Tante Inna blieben trotz der Entfernung gute Freunde. Meine Mutter besuchte sie sogar zweimal in der DDR. Ich bat meine Mutter, ihre Freundin anzurufen und um eine offizielle Einladung für uns zu bitten. Nach zwei Wochen hatte ich schon den grünen Zettel mit Zirkel und Sichel drauf in der Hand – unsere Freikarte in die große weite Welt. Unter der Zeile »Ziel der Reise« hatte Tante Inna »Das Wiedersehen« eingetragen.

Das Einzige, was wir nicht auftreiben konnten, war westliche Währung. Die russischen Banken hatten schon zu diesem Zeitpunkt keine Ostmark mehr, weil die Währungsunion bereits durchgeführt worden war, und Westmark durften sie uns nicht geben, weil wir nach Ost-Berlin eingeladen worden waren. Die Wiedervereinigung war also noch nicht komplett. Auf der Straße waren ausländische Währungen enorm populär, sie wurden zu übertrieben hohen Preisen angeboten, sodass wir uns keine leisten konnten. Zum Glück kamen einige Schauspieler aus der Werkstatt gerade von einem Gastspiel aus der BRD zurück. Der eine hatte noch drei Westmark von der Reise übrig, die er mir freundschaftlich überließ.

»Ist das viel oder wenig?«, fragte ich ihn.

»Schwer zu sagen, deren Preise kannst du mit unseren nicht vergleichen: Für drei Mark bekommst du dort ein Kilo Bananen oder ein Brot, du kannst damit Straßenbahn fahren oder drei Tafeln Schokolade kaufen.«

Für mich klang das sehr verwirrend. Bei uns konnte man für eine Tafel Schokolade einen Monat lang Straßenbahn fahren und für ein Kilo Bananen zwei Kisten Brot kaufen. Ich versteckte die drei Westmark für alle Fälle in meiner Socke.

Am 22. Juni standen Mischa und ich am weißrussischen Bahnhof. Die Menschen in der Bahnhofshalle rannten von einer Kasse zur anderen.

»Gibt es Karten nach Riga? Nein? Dann Vilna! Oder Brest?«

»Tausche zwei Fahrkarten nach Brest gegen eine nach Riga!«

In der Mitte der Halle stand eine Gruppe von Denkmälern: Zwei Lenin-Statuen aus Bronze, ein Lenin-Kopf aus Gips, ein kleiner Marx und ein Glatzköpfiger mit Schnurrbart aus Bronze, den ich nicht kannte. Sie sollten entweder auch nach Riga verreisen oder kamen gerade von dort und waren in der Bahnhofshalle stecken geblieben. Keiner kümmerte sich um die Denkmäler, niemand wollte sie haben. Zusammen stellten sie ein neues Monument dar: Revolutionäre auf Reisen. Versteinert vor Wut.

Wir hatten unsere Fahrkarten schon in der Tasche, uns ging das Durcheinander am Bahnhof nichts an. Ich amüsierte mich und schlenderte in der Halle herum. Ein alter Mann, der anscheinend schon seit Tagen auf dem Bahnhof lebte und seinem Reiseziel noch immer nicht näher gekommen war, fragte mich, ob ich seine Bücher kaufen wolle. Ich hatte noch ein bisschen Geld und zeigte Interesse. Es waren aber keine Reisebücher, sondern dicke Folianten, jeder drei bis fünf Kilo schwer. Der alte Mann sah so erschöpft aus und verlangte einen so niedrigen Preis, dass mir klar wurde: Er wollte sie unbedingt los werden, mochte sie aber nicht wegschmeißen. »Was soll's«, dachte ich und befreite ihn von seiner Last. Die drei »Archipel GULAG«-Bände von Solschenizyn und drei Sciencefictionromane rissen mir nun meine Reisetasche geradezu von den Schultern. Dafür war uns die geistige Unterhaltung im Zug gesichert. Mischa besorgte inzwischen was zu essen.

»Die Passagiere des Zugs 2103 nach Berlin werden gebeten ...«, kam es aus dem Lautsprecher. Ein letztes Mal guckten wir uns die Denkmalgruppe in der Halle an und die Menschen, die um sie herum auf ihren Säcken saßen. Dann stiegen wir in den Zug. Die Bücher waren verdammt schwer, ich verdrehte mir fast die Hand. Mischa lachte mich aus. Ich hätte sie doch wegschmeißen sollen, nun war es aber zu spät. Außerdem hatte ich doch eigentlich schon immer eine eigene Bibliothek haben wollen. Vielleicht würden diese dicken, guten Bücher der Anfang sein.

In unserem Abteil saß noch eine weitere Person, ein rothaariger Deutscher. Er hieß Peter und studierte in Moskau. Nun fuhr er nach Hause – in die Ferien. Ich kletterte auf die obere Liege und las in all meinen Büchern gleichzeitig. Einer der Sciencefictionromane war gar nicht übel:

Ein Wissenschaftler erfand ein Gerät, das jeden in wenigen Sekunden von einer Stelle zu anderen trans-

portieren konnte – eine so genannte Kommunika-
tionskabine, die wie eine Telefonzelle aussah. Man
stieg zum Beispiel in Australien in so eine Kabine ein
und ging eine Sekunde später aus der gleichen Kabine in England heraus. Der Wissenschaftler war zuerst von seiner eigenen Erfindung begeistert. Nur ein
Haken war dabei: Er wusste selbst nicht genau, wie
diese Kabine eigentlich funktionierte. Er hatte sie
mehr zufällig entdeckt, eigentlich wollte er einen
ganz anderen Apparat konstruieren. Das machte ihm
Sorgen, doch ein Freund und Kollege, der geldgierig
war, brachte den Wissenschaftler dazu, seine Kabine
an die Industrie zu verkaufen. Sie wurden daraufhin
als so genannte KK-Stationen zu Tausenden und
Millionen produziert. Bald ersetzten die Kabinen alle
anderen Transportmittel und wurden immer populä-
rer und billiger. Innerhalb eines Jahres hatte bereits
jeder Bürger eine eigene KK-Station zu Hause und
ging nicht einmal mehr zu Fuß einkaufen. Der geldgierige Freund hatte sich die Erfindung unter den
Nagel gerissen und bereicherte sich daran enorm.
Der wirkliche Erfinder untersuchte inzwischen die
Kabine weiter und wusste noch immer nicht, was er
da eigentlich erfunden hatte. Keiner wusste es, doch
alle KK-Stationen arbeiteten zuverlässig. Der Erfinder fing schließlich an zu saufen und weigerte sich als

Einziger auf der Welt, jemals eine KK-Station zu benutzen. Er wurde für verrückt erklärt und landete in der Klapsmühle.

Solschenizyn beschrieb, wie die Gefangenen des Archipels ihre Baracken selbst bauen mussten. Sie schliefen im Freien und erfroren einer nach dem anderen. Beim Aufstehen um fünf Uhr morgens trugen die Wachsoldaten jedes Mal einige Leichen weg. Eines Tages wachte Solschenizyn auf und spürte nichts. Er konnte seinen Kopf nicht mehr bewegen. Ihm wurde klar, dass er nun tot war, und bald warfen die Soldaten auch seinen Körper in eine Grube am Feldrand. Die Leichen in der Grube wurden alle drei Tage verbrannt. Die verbrannten und danach wieder gefrorenen Knochen rochen stark nach Fleischbrühe und brachten einige besonders hungrige Häftlinge dazu, sich nachts einige Knochen aus der Grube zu klauen und heimlich zu essen.

Plötzlich erschütterte eine Nachricht die Welt: Ein junger Mann aus England, der Buchhalter einer Textilfabrik, war verschwunden – und zwar in seiner KK-Station. Dieser vor kurzem noch unbedeutende Mann spielte nun für die ganze Menschheit eine überaus wichtige Rolle. Er war, um zur Arbeit zu gelangen, in die Kabine gegangen und nicht mehr herausgekommen. Nirgendwo. Die Suche nach dem

Buchhalter verwandelte sich in die Suche nach dem Erfinder, der zu diesem Zeitpunkt schon längst aus der Klapse abgehauen war und nun in einem Versteck auf das Ende der Welt wartete. Der geldgierige Freund fand ihn jedoch und gab ihm Geld, um weitere Untersuchungen an der Kabine vorzunehmen.

Der Freund wurde von Gewissensbissen geplagt und sagte zu dem Wissenschaftler: »Wir müssen das Geheimnis dieser Kabinen aufklären, das sind wir der Menschheit schuldig.«

»Nein«, sagte der Wissenschaftler.

Mischa hatte unterdessen einen Amerikaner in unser Abteil gelockt, der sich auf einer Osteuropareise befand und alles total spannend und cool fand. Ihm und dem Studenten Peter versuchte Mischa nun den Grund für unsere Reise zu erklären, obwohl seine Sprachkenntnisse in allen Sprachen außer Russisch gleich Null waren.

»Germany – gut!«, fuchtelte Mischa mit den Händen, »Russian – Alarm!« Dabei riss er die Augen ganz weit auf.

Der Amerikaner konnte ihn gut verstehen. »Don't worry«, sagte er, »relax, everything will be okay.«

Eigentlich sollte ich auch ein wenig Deutsch im Zug lernen, so war es zumindestens geplant. Ich hatte sogar einen Sprachführer aus dem Jahr 1956 von meiner Mutter geschenkt bekommen. »Bringen Sie mich sofort zur sowjetischen Botschaft«, stand dort als Erstes. Aber ich las lieber in meinen anderen Büchern weiter:

Solschenizyn stellte fest, dass er doch noch lebte, nur seine Haare waren über Nacht an einem Brett festgefroren, das er als Kopfkissen benutzt hatte. Schnell riss er das Brett von seinen Haaren los und eilte zur Arbeit nach draußen. Seine Schicht begann in wenigen Minuten, und wer zu spät kam, wurde auf der Stelle erschossen.

Immer mehr Menschen wurden auf der Welt vermisst, obwohl die private Nutzung der KK-Stationen bis auf weiteres eingestellt war. Die Menschen verschwanden trotzdem einer nach dem anderen. Beim Frühstück, beim Tennisspielen, im Schlaf. Die Polizei war völlig machtlos, sie verschwand auch langsam. Dem Wissenschaftler gelang es, der Sache auf den Grund zu gehen. Er stellte fest, dass die Kommunikationskabinen gar nichts transportierten. Ein Mensch wurde in der Kabine bis auf die Atome auseinander genommen und in der anderen Kabine sodann im Maßstab 1:1 neu erstellt. Das bedeutete: Es gab auf der Erde keine richtigen Menschen mehr, nur Kopien von Kopien nicht mehr vorhandener Originale liefen noch herum. Nach einer bestimmten Anzahl von Kopien veränderte sich die molekulare Struktur, und die Doppelgänger der Doppelgänger lösten sich einfach auf.

Solschenizyn beschrieb, wie es mit dem Sex im Archipel GULAG war. Die Frauen waren von den Männer durch einen Stacheldrahtzaun getrennt. In diesen Zaun machten die Inhaftierten kleine Löcher. Die Frau stellte sich mit dem Hintern zum Zaun und bückte sich nach vorne, als würde sie den Boden wischen. Der Mann konnte dann durch das Loch im Zaun mit der Frau Sex haben, wenn er vorsichtig, mutig und clever genug war.

Unter mir lief eine echt internationale Konferenz. Mischa beschimpfte die Sowjetmacht und zeigte all seine Körperverletzungen, die sie ihm zugefügt hatte. Der Amerikaner fand die sowjetische Macht klasse, auf jeden Fall besser als den amerikanischen Kapitalismus. Der Deutsche behauptete, die russischen Frauen seien etwas Einmaliges. Mischa meinte dazu, auch die Frauen seien in Russland Scheiße, wie alles dort. Sie hätten keine Ahnung von Sex und würden nur Geschlechtskrankheiten verbreiten. Der Amerikaner erwiderte, in Amerika seien die Frauen zwar sehr gut in Sachen Sex ausgebildet, aber trotzdem langweilig. Außerdem hätten sie viel zu dicke Ärsche.

Der zweite Sciencefictionroman ähnelte dem ersten. Dort fand ein neugieriger Junge eine Plastikkiste auf dem Dachboden eines verlassenen Hauses. Er schraubte sie auseinander und stellte fest, dass die Kiste ein clever konstruiertes mechanisches Gerät war. Nur den Sinn und Zweck des Gerätes konnte der Junge nicht herausfinden. Er versuchte es immer wieder, bis er endlich auf Seite 71 zur einer Erkenntnis kam. Der Junge bemerkte, dass jede flache Ebene, auf der die Kiste einmal gestanden hatte, sich auf wunderbare Weise vom Staub befreite. Die Kiste erwies sich als ein mechanischer Wunderstaubsauger. Nur ein Haken war dabei: Der Staub sammelte sich nicht in der Kiste an, er verschwand einfach gänzlich.

Der clevere Junge zeigte das Wundergerät seinen Freunden. Zusammen bastelten sie noch ein paar Räder dazu und stellten dann eine Massenproduktion auf die Beine. Der neue Staubsauger wurde in kürzeste Zeit bei der Bevölkerung sehr populär. Die Jungs wurden schwerreich, Millionäre. Besonders attraktiv war für viele Käufer die Tatsache, dass der Staub für immer verschwand. Die Wissenschaftler meinten irgendwann, das Geheimnis der Kiste geklärt zu haben: Der Staub wurde darin in seine Atome und Elektronen zerlegt oder so ähnlich. So genau wollte es eigentlich keiner wissen. Außer einem Wissenschaftler, der die Welt vor dem neuen Staub-

sauger warnte und eine große Katastrophe voraus-
sagte. Inzwischen waren Millionen von diesen Gerä-
ten im Umlauf, die Menschen auf der ganzen Welt
saugten Staub damit und waren glücklich. Bis eines
Tages die Warnung des verrückten Wissenschaftlers,
der selbst schon auf der Seite 138 bei einem myste-
riösen Autounfall ums Leben gekommen war, Realität wurde. Die Plastikkisten auf der ganzen Welt gaben gleichzeitig den Staub zurück, den sie in vierzig
Jahren aufgesaugt hatten. Die Erde verschwand in
einer Staubwolke, viele starben, es ereignete sich eine
ökologische Katastrophe. Der alte Gefangene, der
schon seit über zwanzig Jahren hinter Gittern verbracht hatte, klärte die neue Generation der Häftlinge über drei Dinge auf, die man im Lager nie tun
durfte: »Du darfst niemals irgendwelche Erwartungen, Ängste oder Fragen haben. Nur dann überlebst
du«, sagte er – bei Solschenizyn.

Ich schaute aus dem Fenster. Die weißrussischen
Wälder erstreckten sich bis dicht an die Eisenbahnli-
nie. »Je tiefer der Wald, desto dicker die Partisanen«,
sagte man bei uns in der Armee. Zum ersten Mal
stand ich kurz davor, die Grenzen meiner Heimat zu
überschreiten. Der Weisheit des alten Gefangenen
konnte ich beim besten Willen nicht folgen: Ich hatte
große Erwartungen, viele Fragen und auch ein wenig

Angst. Ich fühlte mich dabei aber großartig. Ich schaute nach unten: Die internationale Konferenz in unserem Abteil zum Thema »Frauen verschiedener Kontinente« verwandelte sich langsam in ein Besäufnis.

Wir näherten uns Brest-Litowsk.